HET VERBODE

Fatima Mernissi

HET VERBODEN DAKTERRAS

Verhalen uit mijn jeugd in de harem

ZILVER POCKETS
DE GEUS

Zilver Pockets ® wordt uitgegeven door Muntinga Pockets,
onderdeel van Uitgeverij Maarten Muntinga bv, Amsterdam

www.zilverpockets.nl

Een gezamenlijke uitgave van Muntinga Pockets, Amsterdam en
Uitgeverij De Geus bv, Breda

Oorspronkelijke titel *Dreams of Trespass. Tales of a Harem
Girlhood* (Addison-Wesley)
© 1994 Fatima Mernissi
© 1994 Nederlandse vertaling Ria van Hengel en
Uitgeverij De Geus bv, Breda
Omslagontwerp Studio Eric Wondergem BNO
Foto voorzijde omslag Fotostock
Foto's binnenwerk Ruth V. Ward
Zetwerk Stand By, Nieuwegein
Druk Bercker, Kevelaer
Uitgave in Zilver Pockets december 2002
Vijfde druk februari 2004

ISBN 90 417 6025 3   NUR 302

Inhoud

1
De grenzen van mijn harem

Ik ben in 1940 geboren in een harem in Fes, een negende-eeuwse Marokkaanse stad zo'n vijfduizend kilometer ten westen van Mekka en duizend kilometer ten zuiden van Madrid, een van die gevaarlijke hoofdsteden van de christenen. De problemen met de christenen, zei vader, net als met vrouwen, beginnen wanneer de *hoedoed*, de heilige grenzen, niet worden gerespecteerd. Ik ben midden in de chaos geboren, in een tijd dat zowel christenen als vrouwen de grenzen in twijfel begonnen te trekken. Terwijl de buitenlandse legers uit het noorden de stad overstroomden, stonden de vrouwen van de harem op onze drempel te debatteren en ruzie te maken met Ahmed, de portier. Als je onze straat uitliep was je meteen bij de buitenlanders, omdat die straat precies tussen de oude stad en de Ville Nouvelle lag, een nieuwe stad die ze voor zichzelf aan het bouwen waren. Toen Allah de aarde schiep, zei vader, had hij een reden om de mannen van de vrouwen te scheiden en een zee tussen de moslims en de christenen te leggen. Wanneer elke groep de voorgeschreven grenzen van de andere groep respecteert, heerst er harmonie; wanneer ze die overschrijden is er verdriet en ellende. Maar de vrouwen droomden voortdurend van overschrijden. De wereld buiten de poort was hun obsessie. Ze fantaseerden de hele dag hoe ze in onbekende straten zouden paraderen, terwijl de christenen de zee bleven oversteken en dood en chaos brachten.

Moeilijkheden en koude winden komen uit het noorden,

en als wij bidden richten we ons naar het oosten. Mekka is ver. Als je je kunt concentreren is het mogelijk dat je gebeden er aankomen. Wanneer de tijd daarvoor rijp was, zou mij geleerd worden hoe ik mij moest concentreren. De soldaten uit Madrid hadden zich ten noorden van Fes gelegerd, en zelfs oom Ali en vader, die zoveel macht hadden in de stad en over iedereen in huis de baas speelden, moesten toestemming aan Madrid vragen om naar het religieuze feest van Moelay Abdesslam te gaan, driehonderd kilometer ver, in de buurt van Tanger. Maar de soldaten die op onze stoep stonden waren Frans, en behoorden tot een andere stam. Het waren christenen zoals de Spanjaarden, maar ze spraken een andere taal en woonden verder naar het noorden. Parijs was hun hoofdstad. Neef Samir zei dat Parijs wel tweeduizend kilometer weg lag, tweemaal zo ver als Madrid, en tweemaal zo woest. Christenen vechten altijd met elkaar, net als moslims, en de Spanjaarden en de Fransen hadden elkaar bijna afgemaakt toen ze onze grens overtrokken. Toen geen van beiden de ander kon uitroeien, besloten ze Marokko in tweeën te snijden. Ze stationeerden soldaten bij Arbawa en zeiden dat je vanaf dat moment een pas nodig had om naar het noorden te gaan, omdat je dan in Spaans Marokko kwam. Als je naar het zuiden wilde had je weer een andere pas nodig, want dan kwam je in Frans Marokko. Als je niet akkoord ging met wat zij zeiden, kwam je klem te zitten in Arbawa, een willekeurige plek waar ze een enorm hek hadden gebouwd dat ze een grens noemden. Maar Marokko, zei vader, had eeuwenlang ongedeeld bestaan, zelfs al voordat de islam er was gekomen, veertienhonderd jaar geleden. Niemand had ooit gehoord van een grens die het land in tweeën deelde. De grens was een onzichtbare streep in het hoofd van de soldaten.

Neef Samir, die oom en vader soms vergezelde op hun

tochten, zei dat je voor het trekken van een grens alleen maar soldaten nodig hebt die anderen dwingen erin te geloven. In het landschap zelf verandert er niets. De grens zit in het hoofd van de machthebbers. Ik kon dat niet met eigen ogen gaan bekijken want oom en vader zeiden dat een meisje niet mag reizen. Reizen is gevaarlijk en vrouwen kunnen zich niet verdedigen. Tante Habiba, die plotseling zonder reden was verstoten en weggestuurd door een man van wie ze veel hield, zei dat Allah de legers uit het noorden naar Marokko had gezonden om de mannen te straffen voor het schenden van de hoedoed die vrouwen beschermen. Als je een vrouw kwaad doet, schend je de heilige grenzen van Allah. Het is tegen de wet om de zwakken kwaad te doen. Ze huilde jarenlang.

Naar school ga je om de hoedoed te leren, de heilige grenzen, zei Lalla Tam, het hoofd van de koranschool waar ik naar toe werd gestuurd toen ik drie was. Tien neefjes en nichtjes zaten er al op. Mijn lerares had een lange, dreigende zweep en ik was het in alles volkomen met haar eens: de grenzen, de christenen, de reden waarom je op school zat. Moslim zijn betekende de hoedoed respecteren. En voor een kind betekende dat gehoorzamen. Ik wilde Lalla Tam zielsgraag tevredenstellen, maar buiten gehoorsafstand vroeg ik mijn nichtje Malika, die twee jaar ouder was dan ik, of ze me kon laten zien waar je de hoedoed kon vinden. Ze antwoordde dat ze alleen zeker wist dat alles op z'n pootjes terecht zou komen als ik de lerares maar gehoorzaamde. De hoedoed, dat waren alle dingen die de lerares verbood. Deze woorden van mijn nichtje stelden mij gerust en ik begon het leuk te vinden op school.

Maar vanaf die tijd ben ik mijn hele leven op zoek naar de grens. Angst vreet aan mij wanneer ik de meetkundige lijn die mijn machteloosheid organiseert niet kan lokaliseren.

Ik heb een gelukkige jeugd gehad omdat de grenzen kristalhelder waren. De eerste grens was de drempel tussen onze salon en de grote binnenplaats. Ik mocht 's morgens niet op die binnenplaats komen voordat moeder op was, wat betekende dat ik mezelf van zes tot acht moest bezighouden zonder enig geluid te maken. Als ik wilde kon ik op de koude, witmarmeren drempel gaan zitten, maar ik mocht niet naar mijn oudere nichtjes en neefjes toe die al aan het spelen waren. 'Je kunt jezelf nog niet verdedigen,' zei moeder. 'Zelfs spelen is een soort oorlog.' Ik was bang voor oorlog, dus ik legde mijn kussentje op onze drempel en speelde *l-msaria b-lglass* (letterlijk: zittend wandelen), een spel dat ik in die tijd heb bedacht en nog steeds erg nuttig vind. Je hebt er maar drie dingen voor nodig. Het eerste is dat je ergens opgesloten zit, het tweede dat je een plekje hebt om te zitten, en het derde dat je in een nederige stemming bent waarin je kunt accepteren dat jouw tijd niets waard is. Het spel is: je kijkt naar iets bekends alsof het je vreemd is.

Ik zat op onze drempel en keek naar ons huis alsof ik het nog nooit had gezien. Om te beginnen was daar de vierkante, strenge binnenplaats, waar alles onderworpen was aan de symmetrie. Zelfs de witmarmeren fontein die altijd in het midden stond te borrelen maakte een beheerste, getemde indruk. Rondom de fontein liep een smalle blauw-met-witte fries van geglazuurd aardewerk, waarin het mozaïekpatroon van de vierkante marmeren vloertegels terugkwam. De binnenplaats werd omgeven door een gewelfde zuilengang, aan elke kant gedragen door vier pilaren. Boven- en onderaan waren de pilaren bekleed met marmer, en in het midden met blauw-met-witte tegels – een weerspiegeling van het patroon van de fontein en de vloer. Aan de binnenplaats lagen vier enorme salons, twee aan twee tegenover elkaar. Elke salon had een reusachtig hek in het midden, ge-

flankeerd door enorme ramen met uitzicht op de binnenplaats. 's Morgens vroeg en in de winter werden de hekken
stevig afgesloten met cederhouten deuren waarin bloemen
waren gesneden. 's Zomers gingen de deuren open en werden er gordijnen van zwaar brokaat, fluweel en kant opgehangen, zodat er koelte naar binnen kon waaien terwijl licht
en geluid werden weggehouden. Aan de ramen van de salons zaten van binnen houten luiken, die net zo bewerkt
waren als de deuren, maar aan de buitenkant zag je alleen
verzilverd smeedijzeren traliewerk, met prachtig gekleurde
glazen bogen erboven. Ik was dol op die gekleurde glazen
bogen, omdat de opkomende ochtendzon het rood en het
blauw steeds weer andere schakeringen gaf en het geel zachter maakte. Net als de zware houten deuren bleven de ramen
's zomers wijd open staan, en alleen 's nachts of 's middags
tijdens het rustuur werden de gordijnen neergelaten ter bescherming van de slaap.

Als je je ogen opsloeg naar de hemel, zag je een sierlijk
bouwwerk van twee verdiepingen. De bovenste etages hadden net zo'n vierkante gewelfde zuilengang als de binnenplaats, afgewerkt met een balustrade van verzilverd smeed-
ijzer. En ten slotte had je de hemel – die hing daar boven,
maar was nog even vierkant als de rest, en stevig ingelijst in
een houten fries met een geometrisch patroon van bleek
goud en oker.

Het was een overweldigende ervaring om vanuit de binnenplaats naar de hemel te kijken. Eerst zag hij er tam uit
door het vierkante kader dat door mensen was gemaakt.
Maar vervolgens werd de beweging van de vroege morgen-
sterren, die langzaam verbleekten in het diepe blauw en wit,
zo intens dat je duizelde. Op sommige dagen, vooral in
de winter, als de purperen en felroze stralen van de zon de
laatste hardnekkige sterren ten slotte met geweld uit de he-

mel hadden verjaagd, werd je er gewoon door gehypnotiseerd. Met je hoofd achterover, kijkend naar dat vierkante stuk hemel, had je het gevoel dat je in slaap viel, maar precies op dat moment begon de binnenplaats vol mensen te stromen. Ze kwamen overal vandaan, uit deuren en van trappen – o, ik was bijna de trappen vergeten. Ze lagen in de vier hoeken van de binnenplaats en waren erg belangrijk, want zelfs de volwassenen konden er een soort reuzenverstoppertje spelen door de geglazuurde groene treden op en af te rennen.

Tegenover mij aan de andere kant van de binnenplaats lag de salon van oom en zijn vrouw en hun zeven kinderen – een exacte weerspiegeling van onze eigen salon. Moeder wilde niet dat er enig verschil te zien was tussen onze salon en die van oom, hoewel oom als oudste zoon traditioneel recht had op grotere en mooier afgewerkte woonvertrekken. Niet alleen was oom ouder en rijker dan vader, maar hij had ook een groter gezin. Met mijn zusje en broertje en mijn ouders waren wij maar met ons vijven. Bij oom waren ze met z'n negenen (of tienen, als je de zuster van zijn vrouw mee rekende, die vaak op bezoek kwam vanuit Rabat en soms wel zes maanden bleef nadat haar man een tweede vrouw had genomen). Maar moeder, die het gemeenschappelijke haremleven verafschuwde en droomde van een eeuwig tête-à-tête met vader, accepteerde dat wat zij de *azma*- (nood-)regeling noemde alleen op voorwaarde dat er geen onderscheid werd gemaakt tussen de echtgenotes. Zij genoot precies dezelfde privileges als de vrouw van oom, ondanks hun verschil in rang. Oom hield zich gewetensvol aan deze regeling, want in een goedbestuurde harem gold: hoe meer macht je hebt, des te edelmoediger moet je zijn. Hij en zijn kinderen hadden uiteindelijk toch meer ruimte, maar alleen op de bovenverdiepingen, ver van de zeer openbare binnenplaats. Met macht hoef je niet te koop te lopen.

Onze grootmoeder van vaderskant, Lalla Mani, bewoonde de salon links van mij. Wij gingen daar slechts tweemaal per dag heen, de eerste keer 's morgens, om haar hand te kussen, en de tweede keer 's avonds, om hetzelfde te doen. Zoals alle andere salons was ook de hare gemeubileerd met sofa's bekleed met brokaat en kussens langs alle vier de muren; een enorme spiegel in het midden weerkaatste de binnenkant van de deur en de zorgvuldig gedrapeerde gordijnen, en een bleekgebloemd tapijt bedekte de hele vloer. Nooit, nooit mocht je haar tapijt betreden met je muilen aan, laat staan met natte voeten, wat 's zomers, als de vloer van de binnenplaats tweemaal per dag werd afgekoeld met water uit de fontein, bijna onmogelijk was. De jonge vrouwen in de familie, zoals mijn nichtje Sjama en haar zusjes, hielden ervan de vloer van de binnenplaats schoon te maken door *la piscine* (zwembad) te spelen, dat wil zeggen, door emmers water over de vloer uit te gieten en de omstanders 'per ongeluk' nat te spatten. Dit moedigde de jongere kinderen – vooral mijn neefje Samir en mij – natuurlijk aan om naar de keuken te rennen en gewapend met de tuinslang terug te komen. Dan plensden we elkaar allemaal flink nat, en iedereen schreeuwde en probeerde ons te laten ophouden. Onvermijdelijk stoorden onze kreten Lalla Mani, die kwaad haar gordijnen optilde en ons waarschuwde dat ze nog diezelfde avond haar beklag zou doen bij oom en vader. 'Ik zal ze vertellen dat niemand in dit huis nog respect heeft voor het gezag', zei ze dan. Lalla Mani had een hekel aan gespetter met water en aan natte voeten. Als we naar haar toe renden om iets tegen haar te zeggen nadat we bij de fontein hadden gestaan, riep ze ons altijd een halt toe. 'Praat niet tegen me met natte voeten', zei ze dan. 'Ga je eerst afdrogen.' Voor haar droeg iedereen die de regel van de schone en droge voeten overtrad, zijn leven lang een stigma, en als je het in je hoofd haalde haar gebloemde tapijt wederrechtelijk te betreden of vuil te maken, werd je nog jarenlang aan je wandaad herinnerd. Lalla Mani wenste met respect te worden behandeld, dat wil zeggen, met rust te worden gelaten zodat ze zwijgend kon zitten uitkijken over de binnenplaats, elegant gekleed in haar met juwelen versierde hoofdtooi. Ze was graag omringd door zware stilte. Stilte was het luxe privilege van de happy few die het zich konden veroorloven de kinderen uit de buurt te houden.

Ten slotte had je aan de rechterkant van de binnenplaats de grootste, chicste salon – de eetkamer van de mannen, waar ze aten, naar het nieuws luisterden, zaken afhandelden en zaten te kaarten. De mannen waren de enigen in huis die geacht werden toegang te hebben tot een reusachtige kabinetradio, die in de rechterhoek van hun salon stond. (Maar buiten waren luidsprekers aangebracht, zodat iedereen kon meeluisteren.) Als de radio niet gebruikt werd, waren de deurtjes van het kabinet dicht. Vader ging ervan uit dat hij en oom de enige twee sleutels van de radio hadden. Maar vreemd genoeg slaagden de vrouwen er regelmatig in naar Radio Cairo te luisteren wanneer de mannen niet thuis waren. Als er geen mannen te zien waren dansten Sjama en moeder vaak op de muziek en zongen 'Ahwa' (Ik ben verliefd) mee met de Libanese prinses Asmahán. En ik herinner me heel duidelijk de eerste keer dat de volwassenen het woord *chain* (verrader) gebruikten om Samir en mijzelf aan te duiden. Wij hadden toen aan vader, die ons vroeg wat wij gedaan hadden toen hij weg was, verteld dat we naar Radio Cairo hadden geluisterd. Ons antwoord gaf aan dat er een onwettige sleutel in omloop was. Beter gezegd, het gaf aan dat de vrouwen de sleutel gestolen hadden en er een kopie van hadden gemaakt. 'Nu een kopie van de radiosleutel, straks eentje om de poort open te maken', gromde vader. Er volgde een enorme ruzie, waarbij de vrouwen om de beurt ondervraagd werden in de mannensalon. Maar na twee dagen onderzoek werd het duidelijk dat de radiosleutel waarschijnlijk uit de lucht was komen vallen. Niemand wist waar hij vandaan gekomen was.

Desondanks namen de vrouwen na het onderzoek wraak op ons kinderen. Ze zeiden dat wij verraders waren en niet meer met hun spelletjes mee mochten doen. Dat was een vreselijk vooruitzicht, dus verdedigden wij ons door uit te leggen dat we alleen maar de waarheid verteld hadden. Moeder antwoordde dat je sommige dingen toch niet mocht vertellen, ook al waren ze waar, dat je ze geheim moest houden. Ze voegde eraan toe dat wat je zegt en wat je geheim houdt niets te maken heeft met waarheid en leugen. We smeekten haar ons uit te leggen hoe we het verschil konden weten, maar ze kwam niet met een bruikbaar antwoord voor de dag. 'Je moet zelf nadenken over de gevolgen van je woorden,' zei ze. 'Als je iemand kwaad kunt doen met wat je zegt, hou dan je mond.' Nou, aan dat advies hadden we niets. De arme Samir vond het afschuwelijk dat hij een verrader werd genoemd. Hij protesteerde en schreeuwde dat hij vrij was om te zeggen wat hij wilde, terwijl ik, zoals gebruikelijk, zijn vermetelheid bewonderde maar zelf niets zei. Ik concludeerde dat mij een heleboel ellende te wachten stond als ik niet alleen moest proberen waarheid van leugens te onderscheiden (wat al moeilijk genoeg was) maar ook nog deze nieuwe categorie 'geheim' moest onderkennen. Ik zou gewoon moeten accepteren dat ik in de toekomst vaak beledigd en een verrader genoemd zou worden.

Een van mijn wekelijkse pleziertjes was het bewonderen van Samir bij zijn muiterij tegen de volwassenen, en ik had het gevoel dat mij niets kon overkomen als ik maar bij hem in de buurt bleef. Samir en ik waren op dezelfde dag geboren, op een lange ramadanmiddag,[1] met nauwelijks een uur verschil. Hij kwam eerst; hij werd geboren op de tweede verdieping, als het zevende kind van zijn moeder. Ik werd een uur later in onze salon beneden geboren, de eersteling van mijn ouders, en hoewel moeder uitgeput was, stond ze er toch op dat mijn tantes en familieleden voor mij dezelfde rituelen hielden als voor Samir. Dat mannen superieur zouden zijn had ze altijd als onzin beschouwd en als iets dat volkomen strijdig was met de islam: 'Allah heeft ons allemaal gelijk geschapen', zei ze altijd. Die middag, herinnerde ze zich later, trilde het huis voor de tweede keer van het traditionele *joe-joe-joe-joe*[2] en de feestliederen, en de buren raakten in de war en dachten dat er twee jongetjes waren geboren. Vader was ontroerd: ik was erg mollig en had een rond gezicht 'als een maan', en hij besloot onmiddellijk dat ik een grote schoonheid zou worden. Om hem een beetje te plagen zei Lalla Mani dat ik wat te bleek was, en dat mijn ogen scheef stonden en mijn jukbeenderen te hoog waren, terwijl Samir, zei zij, een prachtige gouden tint had 'en de grootste zwartfluwelen ogen die je ooit hebt gezien.' Moeder vertelde mij later dat ze haar mond hield, maar dat ze zodra ze op haar benen kon staan naar Samir toe rende om te kijken of hij inderdaad fluwelen ogen had, en dat was zo. Hij heeft ze nóg, maar alle fluwelen zachtheid verdwijnt als hij een opstandige bui heeft, en ik heb me vaak afgevraagd of zijn neiging om bij zijn verzet tegen de volwassenen op en neer te springen, misschien alleen maar te danken was aan zijn pezige bouw.

Ik daarentegen was in die tijd zo dik dat het nooit bij me opkwam om te gaan springen als iemand me ergerde; ik begon alleen maar te huilen en rende naar mijn moeder om me in haar kaftan te verbergen. Maar moeder zei vaak dat ik

Samir niet altijd voor twee moest laten werken: 'Je moet zelf leren schreeuwen en protesteren, net zoals je hebt leren lopen en praten. Huilen als je beledigd wordt is eigenlijk vragen om meer.' Ze was zo bezorgd dat ik een onderdanige vrouw zou worden dat ze grootmoeder Jasmina raadpleegde toen ze in de zomervakantie bij haar op bezoek was. Grootmoeder stond bekend om de weergaloze manier waarop ze confrontaties aanging, en zij adviseerde haar mij niet langer met Samir te vergelijken maar me te helpen een beschermende houding tegenover de jongere kinderen te ontwikkelen. 'Er zijn veel manieren om je persoonlijkheid sterk te maken,' zei ze, 'en één daarvan is verantwoordelijkheid leren dragen voor anderen. Alleen maar agressief zijn en iedereen naar de keel vliegen die iets verkeerd doet is slechts één manier, en zeker niet de elegantste. Als je een kind helpt zich verantwoordelijk te voelen voor de kleintjes op de binnenplaats, krijgt het de ruimte om kracht op te bouwen. Er is niets tegen dat ze bescherming zoekt bij Samir en zich aan hem vastklampt, maar als ze anderen leert beschermen, kan ze die vaardigheid voor zichzelf gebruiken.'

Maar het was dat incident met de radio dat mij een belangrijke les leerde. Toen zei moeder mij namelijk dat ik eerst op mijn woorden moest kauwen voordat ik ze naar buiten liet komen. 'Draai elk woord zevenmaal om je tong, je lippen stijf dicht,' zei ze, 'voordat je iets zegt. Want als je woorden er eenmaal uit zijn, kun je ze niet meer terughalen.' Toen herinnerde ik mij hoe in de verhalen uit *Duizend-en-één-nacht* één enkel verkeerd woord dat de kalief of de koning had mishaagd, onheil kon brengen over de ongelukkige die het had uitgesproken. Soms werd zelfs de *siaf*, de beul, erbij gehaald.

Maar als je in staat was je woorden kunstig aan elkaar te rijgen, kon dat je redding betekenen. Dat gebeurde met Sjeherazade, de vertelster van de duizend en één verhalen. De koning was van plan haar te laten onthoofden, maar op het laatste moment wist ze hem daarvan te weerhouden, alleen maar door woorden te gebruiken. Ik popelde om erachter te komen hoe ze dat gedaan had.

2
Sjeherazade, de koning en de woorden

Op een keer, aan het eind van de middag, nam moeder de tijd om mij uit te leggen waarom de verhalen *Duizend-en-één-nacht* heetten. Dat was niet toevallig, want voor elk van die vele, vele nachten moest Sjeherazade, de jonge bruid, een hypnotiserend, boeiend verhaal bedenken, zodat haar man, de koning, zijn boze plan om haar bij zonsopgang ter dood te laten brengen, vergat. Ik was geschokt. 'Moeder, bedoel je dat de koning zijn *siaf* zou roepen als het verhaal van Sjeherazade hem niet beviel?' Ik bleef maar om alternatieven voor het arme meisje vragen. Ik wilde andere mogelijkheden: waarom kon Sjeherazade niet blijven leven ook al vond de koning het verhaal niet mooi? Waarom kon Sjeherazade niet gewoon vertellen wat ze wilde, zonder zich zorgen te hoeven maken om de koning? En waarom kon ze de situatie in het paleis niet omdraaien en de koning vragen háár elke nacht een spannend verhaal te vertellen? Dan zou hij eens voelen hoe beangstigend het is om iemand te moeten behagen die de macht heeft je hoofd eraf te slaan. Moeder zei dat ik eerst maar eens naar de details moest luisteren; daarna kon ik altijd nog ontsnappingsmogelijkheden zoeken.

'Het huwelijk van Sjeherazade met de koning,' zei ze, 'was verre van een normale bruiloft. De omstandigheden waren bijzonder slecht. Koning Sjahriar had zijn vrouw betrapt terwijl ze in bed lag met een slaaf. Diep gekwetst en woedend had hij ze allebei laten onthoofden. Maar tot zijn grote verbazing merkte hij dat de dubbele moord niet voldoende was om hem zijn woede te doen vergeten. Wraak werd zijn nachtelijke obsessie. Hij moest meer vrouwen doden. Daarom vroeg hij zijn vizier, de hoogste functionaris aan zijn hof, die ook toevallig de vader van Sjeherazade was, hem elke nacht een maagd te brengen. Dan zou de koning met haar trouwen, die nacht bij haar blijven, en haar bij zonsopgang ter dood laten brengen. En dat deed hij drie jaar lang, waarbij hij meer dan duizend onschuldige meisjes ombracht. Zijn volk protesteerde en vervloekte hem, en smeekte Allah hem en zijn heerschappij te vernietigen. Vrouwen raasden, moeders huilden en ouders vluchtten met hun dochters totdat er in de stad nauwelijks nog een jonge vrouw beschikbaar was voor vleselijke gemeenschap.' Vleselijke gemeenschap, legde moeder uit toen neef Samir op en neer begon te springen en om uitleg riep, dat was als bruid en bruidegom samen in één bed gingen liggen en sliepen tot de ochtend.

Ten slotte waren er op een dag in de hele stad nog maar twee maagden over: Sjeherazade, de oudste dochter van de vizier, en haar kleine zusje Dinarzade. Toen de vizier die avond thuiskwam, bleek en bezorgd, vroeg Sjeherazade hem wat er aan de hand was. Hij vertelde haar zijn probleem, en zij reageerde op een manier die haar vader wel allerminst had verwacht. In plaats van hem te smeken haar te helpen ontsnappen, bood ze onmiddellijk aan naar de koning toe te gaan en de nacht met hem door te brengen. 'Ik wens dat u mij aan koning Sjahriar tot vrouw geeft,' zei ze. 'Of ik blijf in leven of ik word een losprijs voor de maagdelijke moslimdochters en de oorzaak van hun bevrijding uit zijn en uw handen.' De vader van Sjeherazade, die zielsveel van haar hield, verzette zich tegen dit plan en probeerde haar ervan te overtuigen dat ze hem moest helpen een andere oplossing te vinden. Als hij haar aan Sjahriar tot vrouw gaf veroordeelde hij haar tot een wisse dood. Maar zij was er, anders dan haar vader, van overtuigd dat ze over een uitzonderlijke macht beschikte en een eind aan het moorden kon maken. Ze zou de ziel van de ongelukkige koning genezen door hem eenvoudig te vertellen van dingen die met anderen waren gebeurd. Ze zou hem meenemen naar afgelegen eilanden en hem vreemde gebruiken tonen, zodat hij dichter bij de vreemdheid in zichzelf kon komen. Ze zou hem helpen zijn gevangenis te zien, zijn bezeten haat jegens vrouwen. Sjeherazade was er zeker van dat de koning, als zij hem tot inzicht in zichzelf kon brengen, zou willen veranderen en meer zou willen liefhebben. Schoorvoetend gaf haar vader toe, en nog diezelfde avond trouwde ze met Sjahriar.[3]

Zodra ze de slaapkamer van de koning binnenkwam, begon Sjeherazade hem een schitterend verhaal te vertellen. Op het spannendste moment brak ze het af, zodat hij het niet kon verdragen om bij het ochtendgloren van haar te scheiden. Hij liet haar dus in leven tot de volgende nacht, zodat ze haar verhaal kon afmaken. Maar die tweede nacht vertelde Sjeherazade hem een ander prachtig verhaal, dat ook nog lang niet uit was bij het ochtendgloren, en de koning moest haar weer in leven laten. Hetzelfde gebeurde de volgende nacht, en ook de daaropvolgende, duizend nachten lang, wat bijna drie jaar is, en toen kon de koning zich een leven zonder haar niet meer voorstellen. Inmiddels hadden ze al twee kinderen, en na duizend en één nacht gaf hij zijn verschrikkelijke gewoonte op om vrouwen te laten onthoofden.

Toen moeder klaar was met het verhaal van Sjeherazade, riep ik: 'Maar hoe kun je dat leren, zulke verhalen vertellen dat ze koningen behagen?' Moeder mompelde, alsof ze tegen zichzelf sprak, dat dat nu precies het werk was dat vrouwen hun leven lang doen. Aan dat antwoord had ik natuurlijk niet veel, maar toen voegde ze eraan toe dat ik voor dat moment maar één ding hoefde te weten: mijn kansen op geluk waren afhankelijk van hoe vaardig ik met woorden zou worden. Met deze kennis begonnen Samir en ik, die dankzij het incident met de radio al besloten hadden de volwassenen niet boos te maken met onwelkome woorden, onszelf te trainen. Urenlang zaten we zwijgend te oefenen. We kauwden op woorden en draaiden ze zevenmaal om onze tong, ondertussen steeds oplettend of de volwassenen iets merkten.

Maar de volwassenen merkten nooit iets, vooral niet op het niveau van de binnenplaats, waar het leven erg keurig en strikt was. Alleen boven ging het iets minder streng toe. Daar woonden tantes die waren gescheiden of weduwe geworden waren, familieleden en hun kinderen in een doolhof van kleine kamertjes. Het aantal familieleden dat bij ons woonde varieerde van moment tot moment, afhankelijk van de hoeveelheid problemen in hun leven. Verre vrouwelijke verwanten kwamen soms voor een paar weken hun toevlucht zoeken op onze bovenverdiepingen, als ze ruzie hadden met hun man. Sommigen kwamen met hun kinderen en bleven maar kort, alleen maar om hun man te laten zien dat ze ook wel ergens anders konden wonen, dat ze op eigen benen konden staan en niet hopeloos afhankelijk van hem waren. (Deze strategie had vaak succes, en als ze naar huis teruggingen was hun onderhandelingspositie sterker geworden.) Maar andere familieleden kwamen voorgoed, na een echtscheiding of een ander ernstig probleem, en dat was een van de tradities waarover vader zich altijd zorgen maakte als het instituut van de harem werd aangevallen. 'Waar moeten de vrouwen dan naar toe die in de problemen zitten?' zei hij dan.

De kamers boven waren erg eenvoudig. Ze hadden witte

betegelde vloeren, witgesausde muren en weinig meubilair. Er stonden hier en daar erg smalle sofa's met spreien en kussens van gebloemde boerenkatoen, en er lagen wat gemakkelijk wasbare raffiamatten. Natte voeten, muilen en zelfs een gemorste kop thee riepen hierboven niet dezelfde overdreven reacties op als beneden. Het leven boven was veel gemakkelijker, vooral omdat alles vergezeld ging van *hanan*, een Marokkaanse emotionele eigenschap die ik elders zelden ben tegengekomen. Hanan is moeilijk precies te definiëren; het is eigenlijk een vrij stromende, soepele, onvoorwaardelijk beschikbare tederheid. Mensen die hanan geven, zoals tante Habiba, dreigen nooit je hun liefde te onthouden als je onbedoeld een kleine of zelfs een grote overtreding begaat. Beneden waren ze niet zo scheutig met hanan, vooral de moeders niet; die hadden het zo druk met het aanleren van respect voor de grenzen dat ze zich niet konden bezighouden met tederheid.

Boven was dus de plek waar je heen ging om verhalen te horen. Dan klom je de honderden geglazuurde treden op die helemaal naar de derde en bovenste verdieping van het huis leidden en naar het terras dat daarvóór lag, witgesausd, ruim en uitnodigend. Daar had tante Habiba haar kamer, klein en tamelijk leeg. Haar man had alles uit hun huwelijk gehouden, met het idee dat zij, wanneer hij ooit met zijn pink zou knippen en haar zou vragen weer naar huis te komen, haar hoofd zou buigen en terug zou komen rennen. 'Maar de belangrijkste dingen kan hij me nooit afpakken,' zei tante Habiba soms, 'mijn lach en de prachtige verhalen die ik kan vertellen wanneer het publiek het waard is.' Op een keer vroeg ik mijn nichtje Malika wat onze tante bedoelde met 'een publiek dat het waard is', en zij bekende dat ze het ook niet wist. Ik zei dat we het haar misschien rechtstreeks moesten vragen, maar zij zei, nee, dat kunnen we beter niet doen, want dan gaat tante Habiba misschien huilen. Tante Habiba huilde vaak zonder reden – dat zei iedereen. Maar we hielden van haar en konden donderdagsavonds bijna niet in slaap komen, zo opgewonden waren we bij het vooruitzicht op haar vrijdagse verhalensessies. Die bijeenkomsten eindigden meestal in grote verwarring, omdat ze volgens onze moeders te lang duurden. Zij waren vaak gedwongen al die trappen op te klimmen om ons te komen halen. En dan krijsten wij, en mijn meest verwende neefjes en nichtjes, zoals Samir, rolden over de grond en schreeuwden dat we nog geen slaap hadden, helemaal niet.

Maar als het je lukte te blijven tot het verhaal uit was, dat wil zeggen tot de heldin haar vijanden had overwonnen en de 'zeven rivieren, zeven bergen en zeven zeeën' was overgestoken, stond je voor nóg een probleem: je was bang om de trappen weer af te dalen. Ten eerste was er geen licht. De knoppen voor het licht op de trap werden allemaal bediend door Ahmed, de portier, vanaf de ingangspoort. Hij draaide ze om negen uur 's avonds uit, om aan te geven dat iedereen op het terras naar binnen moest gaan en al het verkeer officieel gestaakt moest worden. Ten tweede waren er daarbuiten een heleboel djinns of geesten, die in stilte op je loerden, klaar om je te bespringen. En last but not least kon Samir zo goed een djinn imiteren dat je vaak dacht dat het een echte was. Regelmatig moest ik letterlijk doen alsof ik flauwviel om hem te laten ophouden.

Soms, als het verhaal uren duurde, de moeders niet kwamen opdagen en het hele huis plotseling stil werd, smeekten we tante Habiba of we die nacht bij haar mochten blijven. Dan rolde ze haar prachtige bruidstapijt uit, het tapijt dat altijd zorgvuldig opgevouwen achter haar cederhouten kist lag, bedekte het met een schoon wit laken en parfumeerde het met oranjebloesemwater, speciaal voor die gelegenheid.

Ze had niet genoeg kussens voor ons allemaal, maar dat kon ons echt niets schelen. Ze deelde haar enorme, zware wollen deken met ons, deed het elektrische licht uit en zette een grote kaars op de drempel bij onze voeten. 'Als een van jullie toevallig nodig naar de wc moet,' zei ze, 'bedenk dan dat dit tapijt het enige is dat mij nog herinnert aan mijn vroegere leven als gelukkig getrouwde vrouw.'

Op deze aangename avonden vielen we in slaap terwijl we luisterden naar de stem van onze tante, die glazen toverdeuren opende naar maanbeschenen beemden. En als we 's morgens wakker werden, lag de hele stad aan onze voeten. Tante Habiba had een klein kamertje, maar een groot raam, waardoor je zelfs de bergen in het noorden kon zien.

Zij kon praten in de nacht. Alleen met woorden wist ze ons op een groot schip te zetten dat van Aden naar de Maldiven voer, of ons mee te nemen naar een eiland waar de vogels spraken als mensen. Rijdend op haar woorden reisden wij langs Sind en Hind (India), lieten het moslimgebied achter ons, leidden een gevaarlijk leven en sloten vriendschap met christenen en joden, die hun bizarre voedsel met ons deelden en naar ons keken als we onze gebeden zeiden, terwijl wij naar hen keken als zij de hunne zeiden. Soms reisden we zo ver dat er geen goden te vinden waren, alleen aanbidders van zon en vuur, maar zelfs die zagen er vriendelijk en ontwapenend uit als tante Habiba ze beschreef. Haar verhalen maakten dat ik ernaar verlangde zelf volwassen te worden en ook zo goed verhalen te kunnen vertellen. Ik wilde leren praten in de nacht.

3
Jasmina's roze kralen

De poort van ons huis was één van die hoedoed of grenzen, en een hele absolute, want je had toestemming nodig om naar binnen of naar buiten te gaan. Je moest elke beweging verantwoorden, en het was zelfs een hele toer om de poort te bereiken. Als je van de binnenplaats kwam, moest je eerst een eindeloze gang door en dan stond je oog in oog met Ahmed, de portier, die meestal op zijn troonachtige sofa zat, steevast met zijn theeblad naast zich, en bereid om je gastvrij te ontvangen. Omdat er altijd uitgebreide onderhandelingen nodig waren om doorgang te verkrijgen, werd je uitgenodigd om hetzij naast hem te komen zitten op zijn indrukwekkende sofa, hetzij tegenover hem, op je gemak in de uit de toon vallende 'fauteuil de França', zijn harde, versleten, gestoffeerde luie stoel die hij bij een zeldzaam bezoek aan de *djoetiyya*, de plaatselijke vlooienmarkt, op de kop had getikt. Ahmed had vaak het jongste van zijn vijf kinderen op schoot, omdat hij altijd voor hen zorgde als zijn vrouw Loeza naar haar werk was. Zij was een eersteklas kokkin en nam zo nu en dan opdrachten buitenshuis aan als ze daar goed voor betaald werd.

De poort van ons huis was een gigantische stenen boog met indrukwekkende houten deuren, versierd met houtsnijwerk. Hij scheidde de vrouwenharem van de mannelijke vreemdelingen die op straat liepen. (De eer en het prestige van oom en vader hingen af van deze scheiding, zo werd ons gezegd.) Kinderen konden naar buiten gaan als hun ouders daar toestemming voor gaven, maar volwassen vrouwen niet. 'Ik zou voor dag en dauw opstaan', zei moeder wel eens. 'Kon ik alleen maar eens 's morgens vroeg gaan wandelen, wanneer er nog niemand op straat is. Het licht moet dan blauw zijn, of misschien roze zoals bij zonsondergang. Wat is de kleur van de morgen in de verlaten, stille straten?' Niemand gaf antwoord op haar vragen. In een harem stel je vragen niet alleen om antwoord te krijgen. Je kunt ook vragen stellen gewoon om te begrijpen wat er met je gebeurt. Alle vrouwen droomden ervan vrij op straat rond te dolen. Het populairste verhaal van tante Habiba, dat zij alleen bij speciale gelegenheden vertelde, ging over 'de vrouw met de vleugels', die uit de binnenplaats weg kon vliegen wanneer ze maar wilde. Telkens als tante Habiba dit verhaal vertelde, stopten de vrouwen op de binnenplaats hun kaftan in hun ceintuur en begonnen te dansen met hun armen uitgespreid alsof ze gingen vliegen. Nicht Sjama, die zeventien was, had mij wijsgemaakt dat alle vrouwen onzichtbare vleugels hadden en dat de mijne zich ook wel zouden ontwikkelen als ik ouder werd, en dat heb ik jarenlang geloofd.

De poort van ons huis beschermde ons ook tegen de buitenlanders die er een paar meter vandaan stonden, bij een andere grens, die even druk en gevaarlijk was en die onze oude stad, de medina, scheidde van de nieuwe Franse Ville Nouvelle. Mijn neefjes en nichtjes en ik glipten soms de poort uit als Ahmed aan het praten was of een dutje deed, om naar de Franse soldaten te gaan kijken. Ze hadden een blauw uniform aan en droegen een geweer op hun schouder, en ze hadden kleine grijze ogen die altijd waakzaam waren. Ze probeerden vaak met ons kinderen te praten, omdat de volwassenen nooit met hen praatten, maar wij hadden het consigne gekregen nooit iets terug te zeggen. We wisten dat de Fransen hebzuchtig waren en van ver waren gekomen om ons land te veroveren, hoewel Allah hun al een prachtig land had gegeven, met bruisende steden, dichte wouden, weelderige groene weiden en koeien die veel groter waren dan de onze en vier keer zoveel melk gaven. Maar op een of andere manier wilden de Fransen nog meer hebben.

Omdat wij op de grens tussen de oude en de nieuwe stad woonden, konden we zien hoezeer de Franse Ville Nouvelle verschilde van onze medina. De straten daar waren breed en recht, en 's nachts verlicht door heldere lantaarns. (Vader zei dat ze Allahs energie verspilden, want in een veilige gemeenschap had je niet zoveel fel licht nodig.) Ze hadden ook snelle auto's. De straten in onze medina waren smal, donker en kronkelig, met zoveel hoeken en bochten dat er geen auto's in konden, en buitenlanders wisten niet hoe ze er weer uit moesten komen als ze zich er ooit binnen waagden. Dat was de eigenlijke reden dat de Fransen een nieuwe stad voor zichzelf moesten bouwen: ze durfden niet in de onze te wonen.

In de medina gingen de meeste mensen te voet. Vader en oom hadden hun muilezel, maar arme mensen zoals Ahmed hadden alleen een ezel, en kinderen en vrouwen moesten lopen. De Fransen durfden niet te lopen. Ze zaten altijd in hun auto's. Zelfs de soldaten bleven in hun wagens zitten als er moeilijkheden waren. Hun angst was werkelijk verbazend voor ons kinderen, want we zagen dat volwassenen even bang konden zijn als wij. En deze bange volwassenen waren buiten, zogenaamd vrij. De machtigen die de grens hadden gemaakt waren ook de angstigen. De Ville Nouvelle was eigenlijk hun harem: net zomin als vrouwen konden zij vrij rondlopen in de medina. Je kon dus machtig zijn en toch de gevangene van een grens.

Toch terroriseerden de Franse soldaten, die er vaak zo erg jong, bang en eenzaam uitzagen op hun post, de hele medina. Ze hadden macht en konden ons kwaad doen.

Op een dag in januari 1944, vertelde moeder, ging koning Mohammed v, gesteund door nationalisten in heel Marokko, naar de hoogste Franse koloniale ambtenaar, de Résident Général, met de formele eis van onafhankelijkheid. De Résident Général was erg verontwaardigd. Hoe durven jullie Marokkanen om onafhankelijkheid te vragen, moet hij hebben geschreeuwd, en om ons te straffen stuurde hij zijn soldaten de medina in. Pantserwagens drongen zo ver ze konden de kronkelige straten binnen. De mensen keerden zich naar Mekka om te bidden. Duizenden mensen reciteerden het angstgebed, dat bestaat uit twee woorden die urenlang herhaald worden wanneer er een ramp voor de deur staat: *'Ja Latif, Ja Latif, Ja Latif!'* (O Genadevolle!). Latif is een van de negenennegentig schone namen van Allah, en tante Habiba zei vaak dat het de allermooiste was omdat die naam Allah beschrijft als een bron van teder meegevoel, die jouw smart voelt en je kan helpen. Maar de gewapende Franse soldaten, die klem zaten in de nauwe straten en omringd waren door de duizendmaal herhaalde uitroep Ja Latif werden nerveus en verloren hun zelfbeheersing. Ze begonnen te schieten op de biddende menigte en binnen enkele minuten vielen de lijken bovenop elkaar op de drempel van de moskee terwijl het zingen binnen nog steeds doorging. Moeder zei dat Samir en ik op dat moment nauwelijks vier jaar oud waren en niemand merkte dat wij bij onze poort stonden te kijken toen de van bloed doorweekte lichamen, allemaal in de witte ceremoniële gebedsdjèllaba, terug naar huis werden gedragen. 'Maanden later hadden jij en Samir nog nachtmerries,' zei ze, 'en als je de kleur rood maar zag rende je weg om je te verschuilen. We moesten vele vrijdagen achtereen met jou naar het heiligdom van Moelay Idris, waar de *sjoerafá* (heilige mannen) beschermingsrituelen

31

voor je uitvoerden, en ik moest een heel jaar lang een amulet met een korantekst onder je kussen leggen – pas toen sliep je weer normaal.' Na die tragische dag droegen de Fransen altijd openlijk een geweer, terwijl vader allerlei instanties moest aflopen om te zorgen dat hij alleen maar in het *bezit* mocht blijven van zijn jachtgeweer, dat hij vervolgens, behalve in het bos, ook nog verborgen moest houden.

Al deze gebeurtenissen verwarden mij en ik praatte er vaak over met Jasmina, mijn grootmoeder van moederszijde, die op een mooie boerderij woonde met koeien en schapen en eindeloze bloemenvelden, honderd kilometer naar het oosten, tussen Fes en de oceaan. We brachten haar eenmaal per jaar een bezoek, en dan praatte ik met haar over grenzen en angsten en verschillen en het waarom van dat alles. Jasmina wist veel van angst, alle soorten angst. 'Ik ben een deskundige op het gebied van angst, Fatima', zei ze, terwijl ze mijn voorhoofd streelde en ik met haar parels en roze kralen speelde. 'En als je groter bent zal ik je het een en ander vertellen. Ik zal je leren hoe je over je angsten heen komt.'

Vaak kon ik de eerste paar nachten op de boerderij van Jasmina niet slapen, omdat de grenzen niet duidelijk genoeg waren. Nergens was een gesloten poort te zien, alleen wijde, vlakke open velden waar bloemen bloeiden en dieren vreedzaam rondzwierven. Maar Jasmina legde me uit dat de boerderij een deel was van Allahs oorspronkelijke aarde, die geen grenzen had, alleen maar uitgestrekte open velden zonder afscheidingen of hekken, en dat ik niet bang hoefde te zijn. Maar hoe kon ik in een open veld lopen zonder te worden aangevallen, vroeg ik steeds maar weer. En toen bedacht Jasmina een heerlijk spel om in slaap te kunnen vallen. Het heette *msjiaf-lechla* (lopen in het vrije veld). Ze hield me stevig vast terwijl ik ging liggen. Ik klemde beide handen om haar kralen, sloot mijn ogen en stelde mij voor dat ik door een eindeloos bloemenveld liep. 'Maak je stappen licht,' zei Jasmina dan, 'zodat je het lied van de bloemen kunt horen. Ze fluisteren *"salam, salam"* (vrede, vrede).' Ik herhaalde dit refrein van de bloemen heel vlug achter elkaar, en dan weken alle gevaren en viel ik in slaap. 'Salam, salam', murmelden de bloemen, Jasmina en ik. Als ik wakker werd was het ochtend en lag ik in Jasmina's grote koperen bed, met mijn handen vol parels en roze kralen. Van buiten kwam de muziek van briesjes die door de bladeren streken en vogels die met elkaar praatten, en er was niemand te zien behalve Koning Faroek, de pauw, en Thor, de dikke witte eend.

In feite was Thor ook de naam van Jasmina's meest gehate mede-echtgenote, maar ik kon die vrouw alleen in gedachten Thor noemen. Als ik haar naam uitsprak, moest ik haar Lalla Thor noemen. *Lalla* is onze beleefdheidstitel voor alle belangrijke vrouwen, zoals *Sidi* onze beleefdheidstitel is voor alle belangrijke mannen. Als kind moest ik alle belangrijke volwassenen Lalla en Sidi noemen en bij zonsondergang, als de lampen aangingen, hun handen kussen en *msakoem* (goedenavond) zeggen. Elke avond kusten Samir en ik al die handen zo snel we konden, om weer naar onze spelletjes terug te kunnen gaan zonder de vervelende opmerking 'De traditie gaat verloren' weer te moeten horen. We werden daar zo goed in dat we het ritueel met een ongelooflijke snelheid afwikkelden, maar soms hadden we zoveel haast dat we over elkaar struikelden en op de schoot van een belangrijk iemand vielen of op het tapijt. Dan begon iedereen te lachen. Moeder lachte tot de tranen in haar ogen stonden. 'Arme schatten,' zei ze dan, 'ze hebben nu al genoeg van het handen kussen, en dit is nog maar het begin.'

Maar Lalla Thor op de boerderij lachte nooit, evenmin als Lalla Mani in Fes. Ze was altijd ernstig, keurig en correct. Als eerste echtgenote van grootvader Tazi had ze een bijzonder belangrijke positie in de familie. Ze had geen huishoudelijke taken en was erg rijk, twee voorrechten waarmee Jasmina geen vrede kon hebben. 'Het kan me niet schelen hoe rijk die vrouw is,' zei ze, 'ze heeft maar te werken, net als wij allemaal. Zijn we moslims of niet? Zo ja, dan is iedereen gelijk. Dat heeft Allah gezegd. Zijn profeet heeft hetzelfde verkondigd.' Jasmina zei dat ik nooit ongelijkheid mocht accepteren, want ongelijkheid was niet logisch. Daarom noemde ze haar dikke witte eend Lalla Thor.

4
Wij voelen ons zusters

Toen Lalla Thor hoorde dat Jasmina een eend naar haar had genoemd, was ze woedend. Ze ontbood grootvader Tazi in haar salon, die eigenlijk een paleis op zich was, met een binnentuin, een grote fontein en een schitterende, tien meter lange muur bekleed met Venetiaans glas. Grootvader kwam met tegenzin binnen; hij nam grote stappen en had een Koran in zijn hand, als om goed te laten zien dat hij bij het lezen was gestoord. Hij droeg zijn gebruikelijke ruime witkatoenen broek, zijn witte qamis en faradjiyya van chiffon en zijn gele leren muilen – in huis droeg hij nooit een djellaba, tenzij hij gasten ontving.[4]

Grootvader had het typische uiterlijk van de mensen uit het noorden, het Rifgebied, waar zijn familie oorspronkelijk vandaan kwam. Hij was lang en slank, had een hoekig gezicht, een bleke huid, lichte en nogal kleine ogen, en een zeer gedistantieerde, hautaine houding. De mensen uit de Rif zijn trots en niet erg spraakzaam, en grootvader vond het erg vervelend als zijn vrouwen ruzie maakten of conflicten veroorzaakten. Hij had eens een heel jaar niet met Jasmina gesproken en was de kamer uitgegaan als zij er binnen kwam, omdat ze binnen een maand twee ruzies had ontketend. Daarna kon ze zich niet meer dan één conflict per drie jaar veroorloven. Ditmaal was het de eend, en de hele boerderij hield de adem in.

Lalla Thor bood grootvader thee aan alvorens het onderwerp aan te snijden. Vervolgens dreigde ze hem te verlaten als de naam van de eend niet onmiddellijk werd veranderd. Het was de vooravond van een religieus feest, en Lalla Thor stond daar in vol ornaat, met haar tiara en haar legendarische kaftan, geborduurd met echte parels en granaten, om iedereen te herinneren aan haar bevoorrechte status. Maar grootvader had kennelijk wel plezier in het geval, want hij glimlachte om de eend. Hij had Jasmina altijd erg excentriek gevonden en het had hem heel wat tijd gekost om aan bepaalde gewoonten van haar te wennen. Ze klom bijvoorbeeld in een boom en bleef daar uren zitten. Soms wist ze zelfs een paar mede-echtgenotes zover te krijgen dat ze haar vergezelden, en dan moesten ze thee geserveerd krijgen terwijl ze daar allemaal in de takken zaten. Maar Jasmina's redding was altijd dat ze grootvader aan het lachen maakte, en dat was echt een prestatie, want hij was nogal humeurig. Nu hij gevangen zat in Lalla Thors luxe salon, stelde hij haar sluw voor wraak te nemen door haar lelijke hond Jasmina te noemen. Dat zou de rebel wel dwingen haar eend een andere naam te geven. Maar Lalla Thor was niet in de stemming voor grappen. 'Je bent volkomen in de ban van Jasmina,' schreeuwde ze. 'Als je vandaag dit door de vingers ziet, koopt ze morgen een ezel en noemt die Sidi Tazi. Deze vrouw heeft geen respect voor hiërarchieën. Het is een ruziemaakster, zoals iedereen uit het Atlasgebergte, en ze brengt chaos over dit fatsoenlijke huis. Of ze geeft haar eend een andere naam, of ik vertrek. Ik begrijp niet dat ze zo'n invloed op jou heeft. Ze is niet eens mooi – ontzettend mager en lang. Net een lelijke giraf.'

Inderdaad voldeed Jasmina niet aan de schoonheidsidealen van haar tijd, waarvan Lalla Thor een volmaakt voorbeeld was. Lalla Thor had een zeer blanke huid, een rond gezicht als de volle maan, en overal veel vlees, vooral op haar heupen en billen en borsten. Jasmina had daarentegen de door de zon gebruinde huid van de bergbewoners, een lang gezicht met opvallend hoge jukbeenderen, en nauwelijks borsten. Ze was bijna een meter tachtig lang, slechts een klein beetje kleiner dan grootvader, en had de langste benen die je ooit gezien hebt. Daarom kon ze zo goed in bomen klimmen en allerlei acrobatische toeren uithalen. Maar inderdaad leken haar benen net stokken onder haar kaftan. Om ze te camoufleren naaide ze zelf een enorme *sarwal* (harembroek), met veel plooien. Ze maakte ook lange splitten in de zijnaden van haar korte kaftan om zichzelf enig volume te geven. In het begin had Lalla Thor geprobeerd iedereen te laten lachen om Jasmina's nieuwerwetse kleding, maar al gauw imiteerden de andere echtgenotes de rebel, omdat de ingekorte en van splitten voorziene kaftans hun veel meer bewegingsvrijheid gaven.

Toen grootvader naar Jasmina ging om over de eend te klagen, toonde ze weinig meegevoel. Als Lalla Thor vertrok, wat dan nog, zei ze, hij hoefde zich nooit eenzaam te voelen. 'Dan heb je nog acht concubines om voor je te zorgen!' Toen probeerde grootvader Jasmina om te kopen met een zwaar zilveren armband uit Tiznit, en in ruil daarvoor moest ze een koeskoes maken van haar eend. Jasmina hield de armband en zei dat ze een paar dagen nodig had om over de zaak na te denken. De vrijdag daarop kwam ze met een tegenvoorstel. Ze kon de eend onmogelijk doodmaken, hij heette immers Thor! Dat zou geen goed voorteken zijn. Maar ze kon wel beloven haar eend nooit in het openbaar zo te noemen. Alleen in gedachten zou ze het doen. Vanaf dat moment werd van mij hetzelfde verwacht, en ik deed erg mijn best om de naam van de eend voor me te houden.

Dan had je ook nog het verhaal van Koning Faroek, de pauw van de boerderij. Wie noemt er nu een pauw naar de beroemde vorst van Egypte? Wat deed de farao op de boer-

derij? Nou, je moet weten dat Jasmina en haar mede-echtgenotes niet van de Egyptische koning hielden, omdat hij
voortdurend zijn mooie vrouw, prinses Farida, dreigde te
verstoten (uiteindelijk scheidde hij van haar in januari
1948). Wat was de oorzaak van de huwelijksproblemen?
Welke onvergeeflijke misdaad had zij begaan? Ze had drie
dochters ter wereld gebracht, en geen van hen kon op de
troon komen.

Volgens islamitisch recht kan een vrouw niet over een
land regeren, hoewel het een paar eeuwen geleden wel gebeurd was, zei grootmoeder. Met behulp van het Turkse leger had Sjadjarat al-Doerr na de dood van haar man, Sultan
al-Salih, de troon van Egypte bestegen. Ze was een concubi-
ne, een slavin van Turkse afkomst, en ze regeerde vier
maanden, niet beter of slechter dan de mannen voor en na
haar.[5] Maar natuurlijk zijn niet alle moslimvrouwen zo lis-
tig en wreed als Sjadjarat al-Doerr. Toen haar tweede man
bijvoorbeeld besloot een tweede vrouw te nemen, wachtte
zij tot hij naar het bad ging om zich te ontspannen, en 'vergat' toen de deur open te doen. Natuurlijk stierf hij door de
stoom en de hitte. Maar de arme prinses Farida was niet
zo'n volmaakte misdadigster, en zij wist niet hoe ze in
machtskringen moest manoeuvreren of moest opkomen
voor haar rechten in het paleis. Ze was van zeer bescheiden
afkomst en ze was ook een beetje hulpeloos, en daarom
hielden de mede-echtgenotes op de boerderij, die van ver-
gelijkbare afkomst waren, van haar en leden ze mee met
haar vernederingen. Niets is zo vernederend voor een
vrouw, zei Jasmina, als verstoten te worden. 'Vooruit, de
straat op, als een kat. Is dat een fatsoenlijke manier om een
vrouw te behandelen?'

'Bovendien,' voegde Jasmina eraan toe, 'hoe hoog en
machtig koning Faroek ook was, van baby's maken had hij

niet veel verstand. Anders zou hij geweten hebben dat het niet aan zijn vrouw lag dat ze geen zoon kreeg. Om een baby te maken zijn er twee nodig.' En daar had ze gelijk in, dat wist ik. Om baby's te maken moesten bruid en bruidegom zich mooi aankleden, bloemen in hun haar doen, en samen in een heel groot bed gaan liggen. Vele morgens later zag je dan een klein baby'tje tussen hen in spartelen.

Via Radio Cairo bleef de boerderij op de hoogte van Koning Faroeks bokkensprongen, en Jasmina's oordeel over hem was snel en beslissend. 'Een goede moslimleider stuurt zijn vrouw niet weg uitsluitend omdat ze hem geen zoon schenkt,' zei ze. 'Alleen Allah, zegt de Koran, is verantwoordelijk voor het geslacht van een baby. In een rechtvaardig geregeerd islamitisch Cairo zou Faroek van de troon gestoten worden! Arme mooie prinses Farida! Slachtoffer van louter onwetendheid en ijdelheid. De Egyptenaren zouden hun koning moeten verstoten.'

En zo kreeg de pauw de naam Koning Faroek. Maar hoe gemakkelijk Jasmina ook koningen veroordeelde, omgaan met een machtige eerste echtgenote was iets heel anders, ook al was het ongestraft gebleven dat ze een eend naar haar rivale had genoemd.

Lalla Thor was machtig, en ze was de enige vrouw van grootvader Tazi die van aristocratische afkomst was en in de stad was geboren. Haar achternaam was ook Tazi, want ze was een van zijn nichten, en als bruidsschat had ze een tiara van smaragden, saffieren en grijze parels meegebracht, die bewaard werd in de grote stevige kist in de rechterhoek van de mannensalon. Maar Jasmina, die net als alle andere echtgenotes van eenvoudige boerenafkomst was, was niet onder de indruk: 'Iemand is voor mij niet beter alleen omdat ze een tiara bezit,' zei ze. 'Bovendien, hoe rijk ze ook is, ze zit in een harem opgesloten, net als ik.' Ik vroeg Jasmina wat dat betekende, opgesloten zitten in een harem, en ze gaf me allemaal verschillende antwoorden, wat mij natuurlijk in de war bracht.

Soms zei ze dat opgesloten zitten in een harem gewoon betekende dat een vrouw haar bewegingsvrijheid kwijt was. Een andere keer zei ze weer dat een harem rampzalig was omdat een vrouw haar man daar met vele andere vrouwen moest delen.[6] Jasmina zelf moest grootvader delen met acht medevrouwen, dat wil zeggen dat ze acht nachten alleen moest slapen voordat ze hem weer één nacht kon omhelzen en knuffelen. 'En het is heerlijk om je man te omhelzen en te knuffelen,' zei ze. 'Ik ben blij dat vrouwen van jouw generatie straks geen man meer hoeven te delen.'

De nationalisten, die tegen de Fransen vochten, hadden beloofd een nieuw Marokko te scheppen, met gelijkheid voor iedereen. Vrouwen zouden hetzelfde recht op onderwijs krijgen als mannen, en ook het recht op monogamie, op een bevoorrechte, exclusieve relatie met hun man. In feite hadden veel nationalistische leiders en hun volgelingen in Fes al één vrouw, en ze keken neer op degenen die er meer hadden. Vader en oom, die de nationalistische opvattingen aanhingen, hadden allebei maar één vrouw.

De nationalisten waren ook tegen de slavernij. Aan het begin van de eeuw heerste er nog slavernij in Marokko, zei Jasmina, zelfs nadat de Fransen die onwettig hadden verklaard, en veel van haar medevrouwen waren op een slavenmarkt gekocht. (Jasmina zei ook dat alle mensen gelijk waren, ongeacht hoeveel geld je had, waar je vandaan kwam, welke plaats je innam in de hiërarchie, wat je religie of je taal was. Als je twee ogen had, één neus, twee benen en twee handen, zei ze, dan was je gelijk aan iedereen. Ik opperde dat een hond dan ook onze gelijke was als we zijn voorpoten als handen telden, en ze antwoordde onmiddellijk: 'Maar na tuurlijk is hij onze gelijke! Dieren zijn net als wij, het enige wat ze niet kunnen is praten.')

Sommige medevrouwen van Jasmina die slavin waren geweest, kwamen uit vreemde landen als de Soedan, maar anderen waren in Marokko zelf bij hun ouders weggeroofd tijdens de chaos die gevolgd was op de komst van de Fransen in 1912. Als de *machzen*, de overheid, de wil van het volk niet vertolkt, zei Jasmina, dan betalen vrouwen altijd het gelag, want dan komt er onveiligheid en geweld. Dat is precies wat er toen gebeurde. De machzen en zijn functionarissen, niet in staat de Franse legers het hoofd te bieden, tekenden het verdrag waarbij Marokko als protectoraat aan Frankrijk werd overgedragen, maar de mensen weigerden zich daarbij neer te leggen en zo ontstond het verzet in de bergen en de woestijnen en brak er een burgeroorlog uit.

'Je had helden,' zei Jasmina, 'maar je had ook allerlei gewapende misdadigers die overal rondzwierven. De eersten vochten tegen de Fransen, maar die anderen beroofden het volk. In het zuiden, aan de rand van de Sahara, had je helden als Al-Hiba, en later zijn broer, die tot 1934 verzet bleven bieden. In mijn streek, de Atlas, hield de trotse Moha Oehammoe Zajani tot 1920 het Franse leger tegen. In het noorden gaf de prins van de strijders, Abdelkrim, de Fransen – en de Spanjaarden – een flinke afstraffing, totdat ze gemene zaak tegen hem maakten en hem in 1926 versloegen. Maar ook werden er gedurende al die woelingen kleine meisjes in de bergen van hun arme ouders gestolen en in de grote steden aan rijke mannen verkocht. Het was de gangbare praktijk. Jouw grootvader was een aardige man, maar hij kocht wel slavinnen. Dat was toen iets heel gewoons. Nu is hij veranderd, en zoals de meeste notabelen in de grote steden staat hij achter de nationalistische idealen, inclusief het respect voor het individu, de monogamie, de afschaffing van de slavernij enzovoort. De voormalige slavinnen onder ons hebben geprobeerd hun vroegere familie op te sporen en ermee in contact te komen, maar toch staan wij medevrouwen, vreemd genoeg, dichter bij elkaar dan ooit. We voelen ons zusters: onze werkelijke familie is de familie die we rond jouw grootvader hebben geweven. Ik kan me zelfs voorstellen dat ik anders over Lalla Thor zou gaan denken als zij niet meer op ons neerkeek omdat we geen tiara hebben.'

Toen Jasmina haar eend Thor noemde, was dat háár bijdrage aan de creatie van het mooie nieuwe Marokko, het Marokko dat haar kleindochtertje zou gaan betreden. 'Marokko is snel veranderd, meisje,' zei ze vaak tegen mij, 'en het zal dat blijven doen.' Deze voorspelling maakte mij erg gelukkig. Ik zou opgroeien in een prachtig koninkrijk, waar vrouwen rechten hadden en de vrijheid om elke nacht tegen hun eigen man aan te kruipen. Jasmina vond trouwens dat zij het met haar acht nachten wachten nog niet eens zo slecht had getroffen als je het vergeleek met de vrouwen van Haroen al-Rasjid, de Abassidische kalief van Bagdad. Zij moesten destijds allemaal negenhonderdnegenennegentig nachten wachten, want hij had duizend djariya's of slavinnen. 'Dat is bijna drie jaar,' zei ze, 'er zit dus wel schot in. En binnenkort is het één man, één vrouw.[7] Kom, we gaan de vogels voeren. We hebben later nog zeeën van tijd om over harems te praten.' En dan haastten we ons naar haar tuin om de vogels te gaan voeren.

5
Sjama en de kalief

'Wat is een harem precies?'[8] – dat was niet het soort vragen waarop volwassenen graag een antwoord gaven. Toch hamerden ze er bij ons kinderen op exacte woorden te gebruiken. Elk woord, zeiden ze, heeft een specifieke betekenis en je moet het alleen in die specifieke betekenis gebruiken, niet in een andere. Maar als ik de keus had gehad, zou ik verschillende woorden gebruikt hebben voor de harem van Jasmina en die van onszelf, zoveel verschil was er tussen die twee. Jasmina's harem was een open boerderij zonder zichtbare hoge muren. De onze in Fes was net een vesting. Jasmina en haar mede-echtgenotes reden paard, zwommen in de rivier, vingen vis en bakten die boven een open vuur. Moeder kon zelfs de poort niet uitgaan zonder allerlei toestemmingen. En áls het haar dan lukte, kon ze alleen maar een bezoek brengen aan de tombe van Moelay Idris (de beschermheilige van de stad), of aan haar broer die toevallig verderop in de straat woonde, of een religieus feest bijwonen. En die arme moeder moest altijd begeleid worden door andere vrouwen van de huishouding en door een van mijn jonge neven. Ik vond het dus onlogisch om hetzelfde woord te gebruiken voor de situatie van Jasmina en die van moeder.

Maar altijd als ik meer te weten probeerde te komen over het woord 'harem' volgden er bittere ruzies. Je hoefde het woord maar uit te spreken en de grove opmerkingen vlogen je om de oren. Samir en ik spraken daarover, en concludeerden dat woorden in het algemeen al gevaarlijk waren, maar dat vooral het woord 'harem' net een bom was. Als je oorlog wilde op de binnenplaats, hoefde je alleen maar thee te zetten, een paar mensen uit te nodigen, het woord 'harem' te laten vallen en een half uurtje te wachten. Dan veranderden kalme dames, gekleed in prachtig geborduurde zijden kaftans en met van parels voorziene muilen aan, plotseling in krijsende furies. Daarom kwamen Samir en ik tot de conclusie dat het de plicht was van ons kinderen om de volwassenen te beschermen. We zouden het woord 'harem' spaarzaam gebruiken en alleen met tact en oplettendheid onze informatie verzamelen.

Bij de volwassenen zei het ene kamp dat de harem iets goeds was, en het andere kamp vond het iets slechts. Grootmoeder Lalla Mani en Sjama's moeder, Lalla Radia, behoorden tot het pro-harem kamp, moeder, Sjama en tante Habiba tot het anti-harem kamp. Grootmoeder Lalla Mani bracht de discussie vaak op gang door te zeggen dat de maatschappij stil zou staan als de scheiding tussen vrouwen en mannen werd opgeheven, en dat het werk niet meer gedaan zou worden. 'Als vrouwen vrij op straat mochten rondlopen,' zei ze, 'dan zouden de mannen ophouden met werken en plezier willen maken.' En helaas, vervolgde ze, plezier was geen middel om een maatschappij te voorzien van het voedsel en de goederen die nodig waren om van te leven. Om hongersnood te voorkomen moesten vrouwen dus thuis blijven.

(Later hadden Samir en ik een lang gesprek over het woord 'plezier', en we dachten dat het, als de volwassenen het gebruikten, te maken had met seks. Maar we wilden het zeker weten, en daarom legden we de zaak voor aan nicht Malika. Zij zei dat we beslist gelijk hadden. Toen vroegen we haar – en we maakten ons zo lang als we konden – 'Wat *is* seks volgens jou?' Niet dat we het antwoord al niet kenden, maar gewoon voor de zekerheid vroegen we dat. Malika echter, die dacht dat wij van niets wisten, duwde plechtig haar vlechten naar achteren, ging op een sofa zitten, nam een kussen op schoot zoals de volwassenen deden als ze nadachten, en zei langzaam: 'De eerste nacht van de bruiloft, als iedereen gaat slapen, blijven de bruid en de bruidegom alleen achter in hun slaapkamer. De bruidegom vraagt de bruid op het bed te gaan zitten, ze houden elkaars handen vast, en hij wil dat ze hem recht in zijn ogen kijkt. Maar de bruid weert het af en houdt haar ogen neergeslagen. Dat is heel belangrijk. De bruid is erg verlegen en bang. De bruidegom zegt een gedicht op. De bruid luistert met haar ogen vastgelijmd aan de vloer, en ten slotte glimlacht ze. Dan kust hij haar op het voorhoofd. Zij houdt haar ogen nog steeds neergeslagen. Hij geeft haar een kop thee. Zij begint langzaam te drinken. Hij haalt de kop weg, gaat naast haar zitten en kust haar...'

Precies hier besloot Malika, die het leuk vond om onze nieuwsgierigheid te prikkelen, een pauze in te lassen, in de wetenschap dat Samir en ik ons gespannen afvroegen of de bruidegom de bruid nu op de mond zou kussen. Iemands voorhoofd, wang en hand kussen was niets ongewoons, maar de mond, dat was een heel ander verhaal. Toch besloten we Malika een lesje te geven, en in plaats van onze nieuwsgierigheid te tonen begonnen Samir en ik met elkaar te fluisteren en deden we of we haar bestaan helemaal vergeten waren. Geen enkele belangstelling voor de spreker tonen, had tante Habiba ons onlangs verteld, was voor de zwakken een prima manier om macht te krijgen. 'Als iemand spreekt terwijl anderen luisteren is dat een uiting van macht. Maar zelfs de schijnbaar onderdanige, zwijgende luisteraar heeft een uiterst strategische rol, namelijk die van publiek. Wat moet een machtige spreker zonder publiek?'

En inderdaad, Malika hervatte onmiddellijk haar uiteenzetting over de gebeurtenissen in de huwelijksnacht. 'De bruidegom kust de bruid op haar mond.' Daarna stelden wij geen vragen meer. De rest wisten we. (De man en de vrouw trekken hun kleren uit, doen hun ogen dicht, en een paar maanden later komt de baby.)

Terwijl Lalla Mani het haremleven prees, zat tante Habiba inwendig te koken. Dat kon je zien aan de manier waarop ze telkens haar hoofdtooi in orde bracht terwijl er niets aan mankeerde. Maar omdat ze gescheiden was, kon ze Lalla Mani niet openlijk tegenspreken. Ze moest haar bezwaren tegen zichzelf mompelen en het aan moeder en Sjama overlaten de andere mening te verwoorden. Alleen wie macht had kon anderen openlijk corrigeren en tegenspreken. Een gescheiden vrouw had eigenlijk geen huis en moest voor haar aanwezigheid betalen door zo onzichtbaar mogelijk te blijven. Tante Habiba droeg bijvoorbeeld nooit felle kleuren, al uitte ze soms de wens haar roodzijden faradjiyya weer eens aan te trekken. Maar ze deed het nooit. Meestal droeg ze verbleekte grijze of beige kleuren, en de enige make-up die ze gebruikte was kohl rond haar ogen. 'De zwakken moeten zich beheersen,' zei ze, 'om vernedering te voorkomen. Laat nooit anderen jou op je grenzen wijzen. Hoe arm je ook bent, goede manieren kosten niets.'

Als moeder aan haar aanval op Lalla Mani's opvattingen begon, trok ze eerst altijd haar benen onder zich op de sofa, rechtte haar rug en trok een kussen op schoot. Dan sloeg ze haar armen over elkaar en keek Lalla Mani recht in het gezicht. 'De Fransen sluiten hun vrouwen niet op achter muren, beste schoonmoeder,' zei ze dan. 'Ze laten hen vrij rondlopen op de plaatselijke *soek* (markt) en iedereen heeft plezier en het werk gaat toch door. Er wordt zelfs zoveel werk verzet dat zij het zich kunnen veroorloven sterke legers uit te rusten en hier te komen om op ons te schieten.'

En voordat Lalla Mani zich kon opmaken voor een tegen-aanval, presenteerde Sjama haar theorie over de oorsprong van de harem. En dan liepen de zaken werkelijk uit de hand, want zowel Lalla Mani als Sjama's moeder begonnen dan te schreeuwen dat nu onze voorouders beledigd werden en onze heilige tradities belachelijk werden gemaakt.

Sjama's theorie was in feite erg interessant, en Samir en ik waren er dol op. Vroeger, stelde zij, bestreden mannen el-kaar voortdurend. Er werd onnodig veel bloed vergoten, en op een dag besloten ze een sultan aan te stellen die de zaken zou regelen, *soelta* (gezag) zou uitoefenen en de anderen zou zeggen wat ze moesten doen. Alle anderen zouden hem moeten gehoorzamen. 'Maar hoe weten we wie van ons sul-tan moet worden?' vroegen de mannen zich af terwijl ze bij elkaar zaten om dit probleem te bespreken. Ze dachten heel diep na en toen kreeg een van hen een idee. 'De sultan moet iets hebben dat de anderen niet hebben', zei hij. Ze gingen weer zitten denken, en toen kreeg een andere man ook een idee. 'Laten we een race organiseren om vrouwen te vangen', stelde hij voor. 'En de man die de meeste vrouwen vangt wordt sultan.'

Dat vonden de mannen een uitstekend plan, maar hoe kwam je aan het bewijs? 'Als we allemaal in het bos gaan ren-nen om vrouwen te vangen, raken we verspreid. We moeten een manier vinden om de vrouwen vast te houden als ze eenmaal gevangen zijn, zodat we ze kunnen tellen en vast-stellen wie de winnaar is.' En zo ontstond het idee huizen te bouwen. Huizen met poorten en grendels waren nodig om de vrouwen in bedwang te houden. Samir zei dat het mis-schien eenvoudiger was geweest om de vrouwen gewoon aan een boom vast te binden, omdat ze toch zulke lange vlechten hadden, maar Sjama zei dat de vrouwen in vroeger tijden erg sterk waren door het lopen in de bossen net zoals de mannen, en als je hen met z'n tweeën of drieën aan een boom vastbond zouden ze die wel eens kunnen ontwortelen. Bovendien kostte het te veel tijd en energie om sterke vrouwen vast te binden, misschien krabden ze je wel in je gezicht of schopten ze je op een onnoembare plaats. Nee, muren bouwen en ze opsluiten was veel handiger. Dat deden de mannen dus.

De race werd over de hele wereld georganiseerd en de Byzantijnen wonnen de eerste ronde. De Byzantijnen, de onaangenaamsten van alle Romeinen, woonden dichtbij de Arabieren in het oosten van het Middellandse-Zeegebied, waar ze geen gelegenheid voorbij lieten gaan om hun buren te vernederen. De keizer van de Byzantijnen veroverde de wereld, ving een enorm aantal vrouwen en zette die in zijn harem om te bewijzen dat hij de baas was. Oost en West bogen voor hem. Oost en West waren bang voor hem. Maar de eeuwen gingen voorbij en de Arabieren begonnen te leren hoe ze gebieden moesten veroveren en vrouwen moesten vangen. Ze werden er erg goed in en droomden ervan de Byzantijnen te verslaan. Ten slotte had kalief Haroen al-Rasjid het voorrecht dat te doen. Hij versloeg de Romeinse keizer in het islamitische jaar 181 (798 volgens de christelijke jaartelling), en ging daarna andere delen van de wereld veroveren. Toen hij duizend djariya's in zijn harem had verzameld, bouwde hij een groot paleis in Bagdad en zette ze daarin, zodat niemand eraan zou twijfelen dat hij de sultan was. De Arabieren werden de sultans van de wereld, en ze verzamelden nog meer vrouwen. Kalief al-Moetawwakil verzamelde er vierduizend, Al-Moeqtadir bracht het tot elfduizend.[9] Iedereen was erg onder de indruk, en daarna waren het de Arabieren die de bevelen gaven en de Romeinen die bogen.

Maar terwijl de Arabieren druk bezig waren vrouwen

achter deuren op te sluiten, kwamen de Romeinen en de andere christenen bij elkaar en besloten ze de regels van het machtsspel in het Middellandse-Zeegebied te gaan veranderen. Vrouwen verzamelen, zo verklaarden zij, was niet relevant meer. Van nu af aan was diegene sultan die de sterkste wapens en machines kon bouwen, waaronder ook vuurwapens en grote schepen. Maar de Romeinen en de andere christenen besloten de Arabieren niet van deze verandering op de hoogte te stellen; ze wilden het geheim houden om hen te verrassen. De Arabieren gingen dus slapen in de overtuiging dat zij de regels van het machtsspel kenden.

Op dit punt zweeg Sjama, en ze stond op om het verhaal voor Samir en mij aanschouwelijk te maken, waarbij ze nauwelijks acht sloeg op het luide protest van Lalla Mani en Lalla Radia. Ondertussen zat tante Habiba met haar mond te trekken in een poging haar lachen te houden. Vervolgens tilde Sjama haar witkanten qamis op om haar benen vrij te maken, en sprong op een lege sofa. Ze strekte zich uit in een slaaphouding, begroef haar hoofd in een van de reusachtige kussens, trok haar opstandige rode haar over haar sproeterige gezicht en verklaarde 'De Arabieren slapen nu.' Dan deed ze haar ogen dicht en begon te snurken, maar een ogenblik later sprong ze op, keek om zich heen alsof ze net uit een hele diepe slaap ontwaakt was, en vestigde haar ogen op Samir en mij alsof ze ons nooit eerder gezien had.

'Eindelijk werden de Arabieren wakker, een paar weken geleden!' zei ze dan. 'Het gebeente van Haroen al-Rasjid is tot stof vergaan, en het stof heeft zich met de regen vermengd. De regen is in de rivier de Tigris gevallen en naar de zee gestroomd, waar alles wat groot is klein wordt en verloren gaat in het geweld van de golven. In ons deel van de wereld heerst nu een Franse koning. Zijn titel is Président de la République française. Hij heeft een enorm paleis in Parijs, het Elysée geheten, en hij heeft, o wonder, slechts één vrouw! Nergens een harem te bekennen. En die ene vrouw brengt haar tijd door op straat, in een korte rok en met een laag uitgesneden hals. Iedereen kan naar haar billen en haar boezem kijken, maar niemand twijfelt er ook maar een moment aan dat de president van de Franse republiek de machtigste man van het land is. De macht van mannen wordt niet meer afgemeten aan het aantal vrouwen dat ze gevangen kunnen houden. Maar in de medina van Fes is dit nieuws, want daar is de klok stil blijven staan in de tijd van Haroen al-Rasjid.'

Dan sprong Sjama weer op de sofa, sloot haar ogen en begroef haar gezicht weer in het gebloemde zijden kussen. Stilte.

Samir en ik genoten van Sjama's verhaal, omdat ze zo'n goede actrice was. Ik bekeek haar altijd aandachtig, om te leren hoe je bewegingen in woorden moest omzetten. Je moest de woorden gebruiken, en tegelijkertijd gebaren maken met je lichaam. Maar niet iedereen was zo verrukt van Sjama's verhaal als Samir en ik. Haar eigen moeder, Lalla Radia, was eerst ontsteld en vervolgens verontwaardigd, vooral bij het noemen van kalief Haroen al-Rasjid. Lalla Radia was een ontwikkelde vrouw die geschiedenisboeken las – dat had ze geleerd van haar vader, een beroemde religieuze autoriteit in Rabat. Het beviel haar niet als mensen kaliefen in het algemeen, en Haroen al-Rasjid in het bijzonder bespotten. 'O Allah!' riep ze, 'vergeef mijn dochter, want ze doet weer een aanval op de kaliefen! En ze brengt de kinderen in verwarring! Twee zonden die allebei even afschuwelijk zijn. Arme kleintjes, wat zullen zij een verwrongen beeld van hun voorouders krijgen als Sjama hiermee doorgaat.'

Lalla Radia vroeg dan aan Samir en mij om dichtbij haar te komen zitten, zodat zij ons de juiste versie van de geschiedenis kon vertellen en wij van kalief Haroen gingen houden.

'Hij was de prins van alle kaliefen,' zei ze, 'degene die Byzantium veroverde en ervoor zorgde dat de moslimvlag in christelijke hoofdsteden wapperde.' Ze benadrukte ook dat haar dochter het wat harems betreft bij het verkeerde eind had. Harems waren fantastisch. Alle achtenswaardige mannen zorgden voor hun vrouwen, zodat die niet de gevaarlijke, onveilige straten op hoefden. Ze gaven de vrouwen schitterende paleizen met marmeren vloeren en fonteinen, heerlijk eten, mooie kleren en juwelen. Wat wilde je als vrouw nog meer om gelukkig te zijn? Alleen arme vrouwen zoals Loeza, de vrouw van Ahmed de portier, moesten de deur uit om te gaan werken voor hun brood. Bevoorrechte vrouwen bleef dat trauma bespaard.

Samir en ik voelden ons vaak overweldigd door al die tegenstrijdige meningen, en daarom probeerden we de informatie een beetje te ordenen. Volwassenen waren zo slordig. Bij een harem ging het om mannen en vrouwen, dat was één feit. Het ging ook om een huis, om muren en om de straat, dat was een ander feit. Dit was allemaal heel simpel en gemakkelijk voorstelbaar: zet vier muren tussen de straten en je hebt een huis. Zet de vrouwen in het huis en laat de mannen eruit, dan heb je een harem. Maar, waagde ik Samir te vragen, wat zou er gebeuren als je de mannen in het huis zette en de vrouwen eruit liet? Samir zei dat ik de dingen ingewikkeld maakte net op het moment dat we er greep op kregen. Dus stemde ik ermee in de vrouwen weer binnen en de mannen weer buiten te zetten, en we gingen door met ons onderzoek. Het probleem was: dat van die muren en zo gold wel voor onze harem in Fes, maar helemaal niet voor de harem op de boerderij.

6
Het paard van Tamoe

De harem op de boerderij was gehuisvest in een gigantisch
T-vormig gebouw dat omgeven was door tuinen en vijvers.
De rechterkant van het huis was van de vrouwen, de linkerkant van de mannen, en een twee meter hoge bamboeschut-
ting markeerde de grens tussen beiden. De twee gedeelten
van het huis waren eigenlijk twee identieke gebouwen, met
de rug naar elkaar toe gebouwd. Ze hadden symmetrische
gevels en brede gewelfde zuilengangen die de salons en de
kleinere vertrekken koel hielden, zelfs als het buiten heet
was. In de zuilengangen kon je heerlijk verstoppertje spelen,
en de kinderen op de boerderij durfden veel meer dan de
kinderen in Fes. Ze klommen met blote voeten in de pilaren
en sprongen naar beneden als acrobaten. Ze waren ook niet
bang voor de kikkers, de kleine hagedissen en vliegende
beestjes die voortdurend tevoorschijn leken te schieten als je
door de gangen liep. Op de vloeren lagen zwart-met-witte
tegels, en de pilaren waren ingelegd met een zeldzame combinatie van bleekgeel en diepgoud mozaïek, dat grootvader
mooi vond en dat ik verder nooit ergens heb gezien. De tuinen waren omgeven door hoge, kunstig bewerkte smeedijzeren hekken met boogvormige poorten, die altijd dicht
leken maar die je zo open kon duwen als je het veld in wilde.
In de mannentuin stonden een paar bomen en een heleboel
goed onderhouden bloeiende struiken, maar de vrouwentuin was iets totaal anders. Het wemelde er van de vreemde
bomen, bizarre planten en allerlei dieren, want elke mede-

vrouw eiste haar eigen stukje grond op, dat ze haar tuin noemde en waar ze groente kweekte en kippen, eenden en pauwen hield. In de vrouwentuin kon je geen stap zetten zonder iemands territorium te betreden, en de dieren kwamen altijd achter je aan, zelfs tot onder de arcades van de betegelde zuilengangen. Ze maakten een verschrikkelijk lawaai, dat in scherp contrast stond met de kloosterachtige stilte van de mannentuin.

Behalve het hoofdgebouw van de boerderij waren er ook paviljoens, die verspreid over het terrein stonden. Jasmina bewoonde het paviljoen aan de rechterkant. Ze had daarop gestaan, en tegen grootvader gezegd dat ze zo ver mogelijk van Lalla Thor af wilde wonen. Lalla Thor had haar eigen zelfstandige paleis in het hoofdgebouw, met wandgrote spiegels en kleurig houtsnijwerk op de plafonds, de spiegels en de kandelaars. Jasmina's paviljoen daarentegen bestond uit één heel eenvoudige grote kamer, zonder luxe. Daar gaf ze niet om, als ze maar uit de buurt kon blijven van het hoofdgebouw, en voldoende ruimte had om met bomen en bloemen te experimenteren en allerlei eenden en pauwen te fokken. Jasmina's paviljoen had ook een tweede verdieping, die gebouwd was voor Tamoe nadat die de oorlog in het Rifgebergte ontvlucht was. Jasmina had voor Tamoe gezorgd toen ze ziek was, en ze waren goede vriendinnen geworden.

Tamoe was in 1926 gekomen, nadat de gecombineerde Spaanse en Franse legers Abdelkrim hadden verslagen. Ze verscheen op een vroege morgen aan de horizon van de Gharbvlakte, gezeten op een gezadeld Spaans paard, en gekleed in een witte mannencape en een vrouwenhaartooi die moest voorkomen dat de soldaten op haar zouden schieten. Alle medevrouwen vertelden graag het verhaal van haar aankomst op de boerderij, dat niet onderdeed voor de verhalen uit *Duizend-en-één-nacht*, zelfs nog mooier was, omdat Tamoe erbij zat te luisteren en te glimlachen als de ster van het verhaal. Ze was die morgen verschenen met om haar polsen zwaar zilveren Berberarmbanden met uitstekende punten, van die armbanden waarmee je je zonodig kon verdedigen. Ze had ook een *chandjar* (dolk), die aan haar rechterheup bengelde, en een echt Spaans geweer, dat ze verborgen hield in haar zadel, onder haar cape. Ze had een driehoekig gezicht met een groene tatoeage op haar spitse kin, doordringende zwarte ogen die je zonder te knipperen aankeken, en een lange koperkleurige vlecht die over haar linkerschouder hing. Ze stond enkele meters voor de boerderij stil en vroeg of ze ontvangen kon worden door de meester van het huis.

Niemand wist het nog die morgen, maar nooit zou het leven op de boerderij hierna nog hetzelfde zijn. Want Tamoe was iemand uit de Rif, en een oorlogsheldin. Heel Marokko bewonderde de mensen van de Rif, de enigen die, toen de rest van het land het allang had opgegeven, tegen de buitenlanders waren blijven vechten. En daar stond deze vrouw, gekleed als een krijger, die helemaal alleen over de grens bij Arbawa naar de Franse zone was gekomen om hulp te zoeken. En omdat ze oorlogsheldin was, golden bepaalde regels niet voor haar. Ze gedroeg zich zelfs alsof ze niet wist wat traditie was.

Grootvader werd waarschijnlijk op het eerste gezicht verliefd op Tamoe, maar maandenlang was hij zich daarvan niet bewust, zo ingewikkeld waren de omstandigheden rond hun ontmoeting. Tamoe was naar de boerderij gekomen met een opdracht. Haar mensen waren in de Spaanse zone in een hinderlaag van ongeregelde benden gelopen en zij moest hulp voor hen halen. Grootvader gaf haar dus de hulp die ze nodig had. Eerst tekende hij snel een huwelijkscontract om haar aanwezigheid op de boerderij te rechtvaardigen voor het geval dat de Franse politie haar kwam zoeken. Vervolgens vroeg Tamoe hem haar te helpen voedsel en medicijnen naar haar mensen te brengen. Velen waren gewond, en na de nederlaag van Abdelkrim moest elk dorp zelf zien te overleven. Grootvader gaf haar wat ze vroeg en die avond vertrok ze met twee vrachtwagens die langzaam met gedoofde lichten over de weg reden. Twee boeren van de boerderij, die zich voordeden als kooplieden, reden op ezels vooruit om de situatie te verkennen en seinden met fakkels naar de vrachtwagens.

Toen Tamoe een paar dagen later bij grootvaders boerderij terugkwam, was een van de vrachtwagens geladen met lijken, waar groenten overheen lagen. Het waren de lichamen van haar vader, haar man en haar twee kleine kinderen, een jongen en een meisje. Ze stond er zwijgend bij toen de lijken uit de wagens werden geladen. De medevrouwen brachten haar een krukje om op te zitten, en ze zat daar alleen maar te kijken hoe de mannen kuilen in de grond groeven, de lichamen erin legden en met de aarde bedekten. Ze huilde niet. De mannen plantten bloemen om de graven te camoufleren. Toen ze klaar waren, kon Tamoe niet op haar benen staan. Grootvader riep Jasmina, en die nam haar bij de arm en bracht haar naar haar paviljoen, waar ze haar in bed legde. Maandenlang sprak Tamoe niet, en iedereen dacht dat ze haar spraakvermogen kwijt was.

Maar Tamoe schreeuwde regelmatig in haar slaap, als ze in haar nachtmerries onzichtbare aanvallers zag. Zodra ze haar ogen dicht deed was het oorlog, en dan sprong ze op, of wierp zich op haar knieën, steeds in het Spaans om genade smekend. Ze had iemand nodig die haar door het verdriet heen kon helpen zonder opdringerige vragen te stellen of iets te vertellen aan de Spaanse en Franse soldaten, die naar men zei bezig waren inlichtingen in te winnen aan de overkant van de rivier. Jasmina was iemand die dat kon, en zij nam Tamoe op in haar paviljoen en zorgde maandenlang voor haar, totdat ze beter werd. Op een mooie morgen zagen ze dat Tamoe een kat streelde en een bloem in haar haar stak, en die avond organiseerde Jasmina een feestje voor haar. De medevrouwen kwamen bij elkaar in haar paviljoen en zongen, om haar het gevoel te geven dat ze erbij hoorde. Tamoe glimlachte die avond een paar keer, en toen informeerde ze naar een paard waarop ze de volgende dag graag wilde rijden.

Tamoe veranderde alles louter door haar aanwezigheid. Haar eigen kleine lichaam leek de gewelddadige beroeringen te weerspiegelen die haar land verscheurden, en ze had vaak een wilde drang om op snelle paarden te rijden en acrobatische kunsten te doen. Dat was haar manier om tegen haar verdriet te vechten en kortstondig het gevoel te hebben dat het leven toch zin had. In plaats van jaloers op haar te worden, gingen Jasmina en alle andere medevrouwen haar steeds meer bewonderen, onder meer om de vele vaardigheden die zij had en die vrouwen normaliter niet hebben. Toen Tamoe genas en weer ging praten, ontdekten ze dat ze met een pistool kon schieten, vloeiend Spaans sprak, hoog in de lucht kon springen, achter elkaar salto's kon maken zonder duizelig te worden, en zelfs in allerlei talen kon vloeken. Geboren in een bergachtig land waar voortdurend buitenlandse legers doorheen trokken, was ze opgegroeid met het idee dat leven vechten was, en ontspanning rennen. Haar aanwezigheid op de boerderij, met haar tatoeages, haar dolk, haar agressieve armbanden en haar paardrijden, deed de andere vrouwen beseffen dat er veel manieren waren waarop je mooi kon zijn. Vechten, vloeken en de traditie aan je laars lappen kon een vrouw onweerstaanbaar maken. Tamoe werd een legende vanaf het ogenblik dat ze opdook. Ze maakte dat mensen zich bewust werden van hun innerlijke kracht en hun vermogen het lot in allerlei vormen te weerstaan.

Tijdens Tamoe's ziekte was grootvader elke dag in Jasmina's paviljoen naar haar komen informeren. Maar toen ze beter werd en om een paard vroeg, was hij erg in de war, want hij vreesde dat ze ervandoor zou gaan. Hoe blij hij ook was dat ze er zo fantastisch uitzag, opeens weer zo uitdagend en levendig, met haar koperen vlecht, haar scherpe zwarte ogen en haar groene getatoeëerde kin, hij wist niet wat ze voor hem voelde. Ze was niet echt zijn vrouw – hun huwelijk was slechts een wettelijke regeling geweest, en zij was uiteindelijk een strijdster die ieder moment weer kon wegrijden en aan de noordelijke horizon verdwijnen. Daarom vroeg hij Jasmina een wandelingetje met hem in het veld te maken, en haar maakte hij deelgenoot van zijn angsten. Ook Jasmina werd toen heel zenuwachtig, want ze bewonderde Tamoe erg en zou het vreselijk vinden als ze wegging. Daarom stelde ze grootvader voor Tamoe te vragen of ze de nacht met hem wilde doorbrengen. 'Als ze ja zegt,' redeneerde Jasmina, 'heeft ze geen plannen om te vertrekken. Als ze nee zegt, heeft ze die wel.' Grootvader ging terug naar het paviljoen en praatte met Tamoe onder vier ogen, terwijl Jasmina buiten wachtte. Maar toen hij de deur uitkwam lachte hij, en Jasmina wist dat Tamoe zijn aanbod om een van zijn echtgenotes te worden, had aangenomen. Maanden later bouwde grootvader een nieuw paviljoen voor Tamoe bovenop dat van Jasmina, en vanaf toen werd hun huis van twee verdiepingen buiten het hoofdgebouw het officiële hoofdkwartier zowel van Tamoe's paardrijwedstrijden als van vrouwensolidariteit.

Een van de eerste dingen die Jasmina en Tamoe deden zodra het tweede paviljoen gereed was, was een bananenboom planten om te zorgen dat Jaja, de zwarte medevrouw uit het buitenland, zich thuis kon voelen. Jaja was de rustigste van alle medevrouwen, een lange, magere vrouw die ontzettend broos leek in haar gele kaftan. Ze had een smal gezicht met dromerige ogen, en wisselde van tulband afhankelijk van haar stemming, al was haar favoriete kleur geel, 'zoals de zon; het geeft je licht.' Ze vatte gauw kou, sprak Arabisch met een accent en bemoeide zich niet veel met de andere medevrouwen. Meestal bleef ze rustig in haar kamer. Niet lang na haar komst besloten de andere vrouwen haar aandeel in het huishoudelijk werk op zich te nemen, zo kwetsbaar zag ze eruit. In ruil daarvoor beloofde ze hun elke week een verhaal te vertellen over het leven in haar geboortedorp ver weg in het zuiden, in de Soedan, het land van de zwarte mensen, waar geen sinaasappels of citroenen groeiden, maar bananen en kokosnoten. Jaja herinnerde zich niet hoe haar dorp heette, maar dat belemmerde haar niet om net als tante Habiba de officiële verhalenvertelster van de harem te worden. Grootvader hielp haar haar voorraad verhalen aan te vullen door passages voor te lezen uit geschiedenisboeken over de Soedan: over de koninkrijken van Songhai en Ghana, de gouden poorten van Timboektoe, en alle wonderen van de wouden in het zuiden die de zon verborgen. Jaja zei dat blanken iets heel gewoons waren, die had je overal in de vier hoeken van het universum, maar zwarten vormden een speciaal ras, omdat je die alleen in de Soedan vond en in de aangrenzende landen ten zuiden van de Sahara.

Op de avond van het verhalen vertellen kwamen alle medevrouwen samen in Jaja's kamer, er werden bladen met thee binnengebracht, en zij praatte over het prachtige land waar ze vandaan kwam. Na een paar jaar kenden de vrouwen de bijzonderheden van haar leven zo goed dat ze haar konden aanvullen als ze aarzelde of begon te twijfelen aan de betrouwbaarheid van haar geheugen. En op een dag zei Tamoe, na geluisterd te hebben naar de beschrijving van haar dorp: 'Als jij alleen maar een bananenboom nodig hebt om je op deze boerderij thuis te voelen, dan zullen we er een voor je planten.' Eerst geloofde niemand natuurlijk dat het mogelijk zou zijn om een bananenboom te kweken in de Gharb, waar de noordenwind uit Spanje waait en de zware wolken van de Atlantische Oceaan komen aandrijven.[10] Maar het grootste probleem bleek te zijn: hoe kom je aan die boom. Tamoe en Jasmina moesten alle rondreizende kooplieden die langs kwamen op hun ezels, steeds maar weer uitleggen hoe een bananenboom eruitzag, totdat ten slotte iemand er eentje voor hen meebracht uit de omgeving van Marrakesj. Jaja was zo opgewonden toen ze hem zag dat ze ervoor zorgde alsof het een kind was. Telkens als er een koude wind opstak rende ze erheen met een groot wit laken om hem te bedekken. Jaren later, toen de bananenboom zijn eerste vruchten gaf, organiseerden de medevrouwen een feest en Jaja trok drie gele kaftans over elkaar aan, stak bloemen in haar tulband en danste naar de rivier, duizelig van geluk.

Er waren werkelijk geen grenzen aan wat vrouwen op de boerderij konden doen. Ze konden ongewone planten kweken, paardrijden en zich overal vrij bewegen, althans zo leek het. Vergeleken daarmee was onze harem in Fes net een gevangenis. Jasmina zei zelfs dat afgesneden worden van de natuur het ergste was dat een vrouw kon overkomen. 'De natuur is voor een vrouw haar beste vriend', zei ze dikwijls. 'Als je het moeilijk hebt, neem dan een duik in het water, strek je uit in een veld of kijk op naar de sterren. Zo geneest een vrouw haar angsten.'

7
De harem in jezelf

Onze harem in Fes was omringd door hoge muren, en afgezien van het kleine vierkante stukje hemel dat je beneden vanaf de binnenplaats kon zien bestond de natuur niet. Natuurlijk, wanneer je als een pijl uit de boog naar het terras vloog, kon je zien dat de hemel groter was dan het huis, groter dan alles, maar vanuit de binnenplaats leek de natuur niet te bestaan. Die was vervangen door geometrische figuren en bloempatronen op tegels, hout en stucwerk. De enige opvallend mooie bloemen in huis waren die op de kleurige brokaten spreien over de sofa's en op de geborduurde zijden gordijnen die deuren en ramen beschutten. Je kon bijvoorbeeld geen luik open zetten om naar buiten te kijken als je wilde ontsnappen. Alle ramen kwamen uit op de binnenplaats. Er was er niet één aan de straatkant.

Eenmaal per jaar, in het voorjaar, hielden we een *nzaha* (picknick) op de boerderij van mijn oom in Wed Fes, tien kilometer van de stad. De belangrijke volwassenen gingen met auto's, terwijl kinderen, gescheiden tantes en andere familieleden in twee grote vrachtwagens werden gezet die voor de gelegenheid gehuurd waren. Tante Habiba en Sjama namen altijd tamboerijnen mee en maakten onderweg zo verschrikkelijk veel lawaai dat de chauffeur er gek van werd. 'Als u hier niet mee ophoudt dames,' schreeuwde hij dan, 'rij ik van de weg af en gooi ik jullie allemaal in het dal.' Maar zijn dreigementen maakten geen enkele indruk, want zijn stem werd verzwolgen door het geluid van de tamboerijnen en het handgeklap.

Op de dag van de picknick werd iedereen bij het ochtendgloren wakker en was druk in de weer op de binnenplaats alsof het een religieuze feestdag was. Sommigen zorgden voor het eten, anderen voor de drank, en overal werden doeken en kleden opgerold. Sjama en moeder zorgden voor de schommels. 'Geen picknick zonder schommels', zeiden zij als vader voorstelde ze eens één keer thuis te laten omdat het zoveel tijd kostte ze aan de bomen op te hangen. 'Bovendien,' voegde hij eraan toe, alleen maar om moeder uit haar tent te lokken, 'schommels zijn prima voor kinderen, maar als er volwassenen op gaan zitten is dat niet best voor de bomen.' Terwijl vader praatte en wachtte tot moeder kwaad werd, ging zij gewoon door met het inpakken van de schommels en de touwen om ze mee vast te binden, zonder hem een blik waardig te keuren. Sjama zong luidkeels 'Als mannen de schommels niet vast kunnen binden / dan zullen de vrouwen het zelf wel doen / lalalala', waarbij ze de hoge melodie van ons volkslied 'Maghriboena watanoena' (ons Marokko, ons vaderland)[11] imiteerde. Ondertussen waren Samir en ik koortsachtig op zoek naar onze espadrilles, want we konden echt geen hulp verwachten van onze moeders, die druk met hun eigen zaken bezig waren, en Lalla Mani telde de glazen en borden, om aan het eind van de dag de schade te kunnen opmaken. Voor haar hoefde die picknick niet, zei ze dikwijls, want de oorsprong ervan was nogal dubieus. 'De Hadith[12] rept nergens van een picknick,' zei ze. 'Misschien blijkt het op de Dag des Oordeels wel een zonde te zijn.'

In de loop van de morgen arriveerden we dan op de boerderij, uitgerust met tientallen kleden, matrassen en *kanoens* (draagbare houtskoolvuurtjes). Zodra de kleden waren uitgerold, werden de matrassen uitgespreid, de houtskoolvuurtjes aangestoken en de sjisj kebabs geroosterd. De theeketels zongen mee met de vogels. Na de lunch zwermden sommige vrouwen uit in het bos en het veld om bloemen, kruiden en andere soorten planten te zoeken die ze bij hun schoonheidsbehandelingen konden gebruiken. Anderen gingen om de beurt op de schommels. Pas na zonsondergang reisden we terug naar huis, en dan ging de poort weer achter ons dicht. En nog dagenlang voelde moeder zich ellendig. 'Als je een hele dag tussen de bomen hebt doorgebracht,' zei ze dan, 'wordt het ondraaglijk om weer wakker te worden met de muren als horizon.'

Je kon ons huis alleen in via de hoofdpoort, waar Ahmed de portier de wacht hield. Maar eruit kon je ook op een andere manier, namelijk via het terras van de bovenste verdieping. Vanaf ons terras kon je naar dat van de buren springen, en dan door hun deur de straat op gaan. Officieel was ons terras van Lalla Mani, en na zonsondergang draaide Ahmed het licht op de trappen uit. Maar omdat het terras de hele dag voor allerlei huishoudelijke activiteiten werd gebruikt, van olijven halen die daar in grote kruiken bewaard werden, tot kleren wassen en drogen, bleef de sleutel vaak bij tante Habiba, die in de kamer pal naast het terras woonde.

De uitgang via het terras werd zelden bewaakt, om de eenvoudige reden dat het een moeilijke onderneming was om langs die weg op straat te komen. Je moest drie dingen goed kunnen: klimmen, springen en soepel neerkomen. De meeste vrouwen konden wel klimmen en springen, maar bevallig neerkomen was moeilijker. Af en toe kwam er dus iemand binnen met haar enkel in het verband, en dan wist iedereen wat ze gedaan had. De eerste keer dat ik van het terras beneden kwam met bloedende knieën, legde moeder mij uit dat landen het grootste probleem voor een vrouw was. 'Als je je in een avontuur stort,' zei ze, 'moet je altijd aan de landing denken, niet aan de start. Dus als je zin hebt om te vliegen, bedenk dan altijd hoe en waar het avontuur zal eindigen.'

Er was echter nog een andere, diepere reden dat vrouwen als Sjama en moeder een ontsnapping via het terras geen bruikbaar alternatief vonden. Er zat een clandestiene, heimelijke kant aan, die strijdsters voor het recht van vrouwen op bewegingsvrijheid tegenstond. Als je de confrontatie met Ahmed bij de poort aanging, was dat een heroïsche daad. Ontsnappen via het terras was dat niet, en het droeg niet dat inspirerende subversieve vuur van de bevrijding in zich.

Dit alles gold natuurlijk niet op Jasmina's boerderij. Daar had de poort nauwelijks enige betekenis, want er waren geen muren. En om in een harem te zitten, had je een barrière, een grens nodig, dacht ik. Toen ik die zomer bij Jasmina op bezoek was, vertelde ik haar wat Sjama over de oorsprong van de harem had verteld. Toen ik zag dat ze luisterde besloot ik al mijn historische kennis tentoon te spreiden, en ik begon te praten over de Romeinen en hun harems, en over de Arabieren, hoe die de sultans van de planeet werden dankzij kalief Haroen al-Rasjid met zijn duizend vrouwen, en over de christenen die de Arabieren bij de neus namen door de regels te veranderen terwijl zij lagen te slapen. Jasmina moest erg lachen toen ze het verhaal hoorde, en zei dat zij niet ontwikkeld genoeg was om de historische feiten te kunnen beoordelen, maar dat het haar allemaal erg grappig en ook logisch in de oren klonk. Toen vroeg ik haar of het nu waar was of niet wat Sjama had gezegd, en Jasmina zei dat ik me niet druk moest maken om de vraag of iets waar of onwaar was. Ze zei dat er dingen bestonden die zowel waar als onwaar waren, en dingen die het geen van beide waren. 'Woorden zijn net uien,' zei ze, 'hoe meer schillen je eraf pelt, des te meer betekenissen kom je tegen. En als je gaat ontdekken hoeveel betekenissen er zijn, dan wordt de vraag of iets waar of onwaar is, zinloos. Die vragen over harems die jij en

Samir hebben gesteld zijn allemaal goed en wel, maar er zal altijd meer te ontdekken zijn.' En toen voegde ze eraan toe: 'Ik zal er nu nog één schil voor je afpellen. Maar denk erom, het is er maar één van de vele.'

Het woord 'harem', zei ze, was een lichte variatie op het woord *haram* dat het verbodene, onwettige betekende. Het was het tegendeel van *halal*, het toegestane. Harem was de plek waar een man zijn familie, zijn vrouw of vrouwen, zijn kinderen en verwanten veilig onderbracht. Het kon een huis zijn of een tent, en het woord sloeg zowel op de ruimte als op de mensen die erin woonden. Als je het had over 'de harem van Sidi die en die', dan bedoelde je zowel zijn familieleden als zijn huis. Ik begreep dat beter toen Jasmina uitlegde dat Mekka, de heilige stad, ook Haram werd genoemd. Mekka was een ruimte waar strikte gedragsregels golden. Zodra je daar binnen trad, was je aan een groot aantal wetten en regelingen gebonden. Mensen die Mekka binnengingen moesten rein zijn, ze moesten reinigingsriten uitvoeren en zich onthouden van liegen, bedriegen en schadelijke daden verrichten. De stad was van Allah, en als je zijn gebied betrad moest je zijn *sjaria* (heilige wet) gehoorzamen. Hetzelfde gold voor een harem die van een man was. Andere mannen mochten daar niet in zonder toestemming van de eigenaar, en als ze er binnen kwamen moesten ze zijn regels in acht nemen. Een harem had te maken met privé-ruimte en regels die daar golden. Muren waren daar in principe niet bij nodig, zei Jasmina. Zodra je wist wat er verboden was, droeg je de harem van binnen met je mee. De harem zat in je hoofd, 'onder je voorhoofd en onder je huid gegrift.' Dat idee van een onzichtbare harem, een in je hoofd getatoeëerde wet, bracht mij volkomen van mijn stuk. Ik vond het helemaal niet leuk en ik vroeg haar nadere uitleg.

De boerderij, zei Jasmina, was een harem, ook al waren er

geen muren. 'Muren heb je alleen nodig als er straten zijn!' Maar als je zoals grootvader op het land wilde wonen, dan had je geen poorten nodig, want dan zat je midden in de velden en daar waren geen voorbijgangers. Daar konden vrouwen vrij het veld in gaan, want er hingen geen vreemde mannen rond die naar hen gluurden. Vrouwen konden uren lopen of paardrijden zonder een levende ziel te zien. Maar als ze toevallig toch onderweg een boer tegenkwamen en hij zag dat ze ongesluierd waren, dan bedekte hij zijn hoofd met de capuchon van zijn eigen djellaba om te laten zien dat hij niet keek. In dat geval, zei Jasmina, zat de harem dus in het hoofd van die boer, ergens onder zijn voorhoofd gegrift. Hij wist dat de vrouwen van de boerderij van grootvader Tazi waren, en dat hij niet het recht had naar hen te kijken.

De kwestie van dat rondlopen met een harem in je hoofd verwarde mij, en ik legde onopvallend mijn hand op mijn voorhoofd om te voelen of het nog wel glad was, om te kijken of ik misschien haremvrij was. Maar daarna werd Jasmina's uitleg nog alarmerender, want toen zei ze dat elke ruimte die je betrad zijn eigen onzichtbare regels had en dat je daar achter moest zien te komen. 'En als ik ruimte zeg,' vervolgde ze, 'dan kan dat elke ruimte zijn – een binnenplaats, een terras of een kamer, zelfs de straat. Overal waar mensen zijn, is een *qaida*, een onzichtbare regel. Als je je aan de qaida houdt, kan je niets overkomen.' In het Arabisch, zo leerde ze mij, betekende qaida veel verschillende dingen, die allemaal dezelfde basis hadden. Een wiskundige wet of een rechtssysteem was een qaida, en ook de fundering van een gebouw, of een gebruik of een gedragscode. Qaida was overal. En toen voegde ze er iets aan toe dat me werkelijk angst aanjoeg: 'Helaas is de qaida meestal tegen vrouwen gericht.'

'Waarom?' vroeg ik. 'Dat is toch niet eerlijk?' En ik kroop dichterbij om vooral niets van haar antwoord te missen. De wereld, zei Jasmina, vond het niet de moeite waard om eerlijk tegenover vrouwen te zijn. Regels werden altijd zo gemaakt dat ze hen op een of andere manier iets ontnamen. Zo werkten bijvoorbeeld mannen en vrouwen allebei van 's morgens vroeg tot 's avonds laat, zei ze. Maar mannen verdienden geld en vrouwen niet. Dat was een van die onzichtbare regels. En hoewel een vrouw hard werkte en geen geld verdiende, zat ze opgesloten in een harem, ook al kon ze de muren niet zien. 'Misschien zijn de regels wel zo meedogenloos omdat ze niet door vrouwen gemaakt zijn', besloot Jasmina. 'Maar waarom zijn ze dan niet door vrouwen gemaakt?' vroeg ik. 'Zodra vrouwen hun verstand gaan gebruiken en precies deze vraag stellen,' antwoordde zij, 'in plaats van plichtsgetrouw dag in dag uit de afwas te doen, zullen ze een mogelijkheid vinden om de regels te veranderen en de hele planeet op zijn kop te zetten.' 'Hoe lang gaat dat duren?' vroeg ik, en Jasmina zei: 'Heel lang.'

Later vroeg ik haar of ze mij kon vertellen hoe ik bij het betreden van een nieuwe ruimte achter die onzichtbare qaida kon komen. Waren er signalen, was er iets tastbaars om naar uit te kijken? Nee, zei ze, jammer genoeg niet, er waren geen aanwijzingen, behalve de gevolgen van je overtreding. Want zodra je een onzichtbare regel schond, zou je schade ondervinden. Maar, zei ze, de dingen die mensen in het leven het liefste doen: rondlopen, de wereld ontdekken, zingen, dansen, een mening uiten, bleken vaak in de streng verboden categorie te vallen. In feite was de qaida, die onzichtbare regel, dikwijls veel erger dan muren en poorten. Bij muren en poorten wist je tenminste waar je aan toe was.

Bij die woorden verlangde ik er bijna naar dat alle regels plotseling voor mijn ogen de vorm van grenzen en zichtbare muren zouden aannemen. Maar toen kwam er weer een andere vervelende gedachte bij me op. Als Jasmina's boerderij een harem was hoewel je er geen muren zag, wat betekende *hoerriyya* (vrijheid) dan? Ik sprak die gedachte uit, en zij leek een beetje bezorgd. Ze zei dat ik maar moest gaan spelen zoals de andere kinderen, en me geen zorgen meer moest maken over muren, regels, beperkingen en de betekenis van hoerriyya. 'Het geluk gaat aan je voorbij als je te veel nadenkt over muren en regels, lief kind,' zei ze. 'In het leven van een vrouw gaat het uiteindelijk om geluk. Dus verspil je tijd niet met het zoeken naar muren waar je met je hoofd tegenop kunt lopen.' Om me aan het lachen te maken sprong Jasmina op, rende naar de muur en deed alsof ze er met haar hoofd op beukte terwijl ze schreeuwde: '*Au, au!* De muur doet me pijn! De muur is mijn vijand!' Ik barstte in lachen uit, opgelucht dat het geluk ondanks alles nog binnen handbereik was. Ze keek me aan en legde haar vinger tegen haar slaap: 'Begrijp je wat ik bedoel?'

Natuurlijk begreep ik wat je bedoelde, Jasmina, en het geluk leek beslist mogelijk, ondanks harems, zichtbare en onzichtbare. Ik vloog naar haar toe om haar te omhelzen. Ze hield me vast en liet me met haar roze parels spelen en ik fluisterde in haar oor: 'Ik hou van je Jasmina, echt waar. Denk jij dat ik een gelukkige vrouw zal worden?'

'Natuurlijk word je gelukkig!' riep ze dan uit. 'Jij wordt een moderne, ontwikkelde vrouw. Jij gaat de droom van de nationalisten verwerkelijken. Je zult vreemde talen leren, een paspoort krijgen, boeken verslinden en spreken als een religieuze autoriteit. Op z'n minst zul je beter af zijn dan je moeder. Onthoud maar dat zelfs ik, hoe ongeletterd ik ook ben en hoezeer gebonden aan de traditie, erin geslaagd ben enig geluk uit dit vervloekte leven te persen. Daarom wil ik niet dat je je blind staart op de grenzen en de barrières. Ik wil dat je je concentreert op plezier en lachen en geluk. Dat is een goed plan voor een ambitieuze jongedame.'

8
Afwasshow in de rivier

Om Jasmina's boerderij te bereiken hoefden we maar een paar uur te reizen, maar het had evengoed zo'n ver eiland in de Chinese Zee uit tante Habiba's verhalen kunnen zijn. De vrouwen op de boerderij deden dingen waarvan wij in de stad nog nooit gehoord hadden: vissen, in bomen klimmen en baden in een beek die in de Seboe uitkwam en vandaar naar de Atlantische Oceaan stroomde. Nadat Tamoe vanuit het noorden bij hen was gekomen, waren de vrouwen zelfs met paardrijwedstrijden begonnen. Voor de komst van Tamoe hadden de vrouwen ook al paard gereden op de boerderij, maar alleen in het geheim, als de mannen weg waren, en ze gingen nooit ver. Tamoe maakte van het paardrijden een plechtig ritueel, met vaste regels en dressuur en feestelijke prijsuitreikingen. De winnares van de race kreeg een prijs die gemaakt werd door degene die als laatste de finish had bereikt: een enorme *pastilla*, de grootste lekkernij die Allah ooit geschonken heeft. Het was zowel een taart als een maaltijd, zoet en hartig, gemaakt van duivenvlees en noten, suiker en kaneel. O! Pastilla kraakt als je erop kauwt, en je moet het met subtiele gebaren eten, geen haast alsjeblieft, anders krijg je overal suiker en kaneel op je gezicht. Het kost dagen om pastilla klaar te maken, want het wordt gemaakt van laagjes bijna transparant bladerdeeg, gevuld met geroosterde en licht gehakte amandelen en een heleboel andere verrassingen. Jasmina zei vaak dat vrouwen als ze slim waren de lekkernij zouden verkopen en wat geld konden verdienen, in plaats van de productie ervan tot hun banale huishoudelijke plichten te rekenen.

Met uitzondering van Lalla Thor, een stadse met een zeer blanke levenloze huid, hadden de meeste medevrouwen de onmiskenbare boerentrekken van het bergachtige Marokko. En terwijl Lalla Thor nooit huishoudelijk werk deed en altijd lui rondliep in haar drie over elkaar heen gedragen kaftans die tot op haar enkels hingen, stopten de andere vrouwen hun kaftans in hun gordel, en sjorden hun mouwen op tot onder hun armen met kleurig elastiek dat ze het aanzien van de traditionele *tachmal*[13] hadden gegeven. Zo konden ze de hele dag snel lopen, hun huishoudelijke taken verrichten en mensen en dieren te eten geven.

Een van de dingen die de medevrouwen voortdurend probeerden was het veraangenamen van het huishoudelijk werk, en op een dag stelde Mabroeka, die dol was op zwemmen, voor om te proberen de afwas in de rivier te doen. Lalla Thor was geschokt en zei dat dat idee volkomen in strijd was met de moslimbeschaving. 'Deze boerenvrouwen zullen dit huis nog te schande maken,' brieste ze. Volgens haar had de eerbiedwaardige historicus Ibn Chaldoen dit zeshonderd jaar geleden in zijn *Moeqaddimah* al voorspeld toen hij zei dat de islam in wezen een stadscultuur was en dat de boeren er een bedreiging voor vormden.[14] Als je zoveel echtgenotes uit de bergen had moest dat wel tot een ramp leiden. Jasmina kaatste terug dat Lalla Thor de moslims een veel grotere dienst zou bewijzen als ze ophield oude boeken te lezen en eens begon te werken net als ieder ander. Maar Lalla Thor legde de zaak voor aan grootvader, zo jaloers was ze op de medevrouwen met hun poging een beetje plezier te maken. Grootvader liet Mabroeka en Jasmina bij zich komen en vroeg hen hun plan uit te leggen. Dat deden ze, en vervolgens stelden zij dat ze echt niet dom waren, ook al waren ze inderdaad allebei ongeletterde boerinnen, en dat ze de woorden van Ibn Chaldoen onmogelijk als heilig konden beschouwen. Tenslotte, zeiden ze, was hij maar een historicus. Ze zouden met plezier van hun plan afzien als Lalla Thor een *fatwa* (geleerd advies) van de religieuze autoriteiten van de Qarawijjínmoskee kon overleggen waarin het vrouwen werd verboden de afwas in de rivier te doen. Maar tot dat moment zouden ze doen waar ze zin in hadden. Uiteindelijk was de rivier Allahs schepping, een manifestatie van zijn macht, en *als* zwemmen een zonde was, dan zouden ze daar ooit voor zijn aangezicht voor boeten op de Dag des Oordeels. Grootvader, onder de indruk van hun logica, schorste de bijeenkomst door te zeggen dat hij blij was dat verantwoordelijkheid in de islam een zaak van het individu was.

Op de boerderij werden de huishoudelijke taken, zoals in alle harems, verricht volgens een streng roulatiesysteem. Vrouwen organiseerden zich in kleine teams die op basis van vriendschap en belang tot stand kwamen, en verdeelden de taken tussen deze teams. Het team dat de ene week kookte, schrobde de volgende week de vloeren, een derde team zette thee en koffie en zorgde voor de drankjes, een vierde deed de was, en een vijfde kon zich ontspannen en uitrusten. Zelden werkten alle vrouwen samen aan één taak. Een uitzondering was de afwas, een vervelend karwei, dat na Mabroeka's voorstel – in elk geval in de zomers dat ik daar was – veranderde in een fantastische watershow, compleet met deelnemers, toeschouwers en cheerleaders.

De vrouwen stonden in twee rijen in de rivier. In de eerste rij stonden ze met bijna al hun kleren aan, en het water kwam tot hun knieën. In de tweede rij, waar alleen de vrouwen mochten staan die goed konden zwemmen, reikte het water tot hun middel en zij waren vaak slechts half gekleed, alleen in een qamis, dat hoog was opgeschort en in hun strak aangetrokken gordel was gestopt. Ook hun hoofd was onbedekt, want je kon niet met de stroom vechten als je ondertussen moest zorgen dat je je kostbare geborduurde zijden sjaal of tulband niet verloor. De eerste rij deed de eerste afwasronde: het schuren van de potten en pannen en *twadjèn* (stoofpotten van aardewerk) met *tadèkka*, een papje van zand en klei van de rivieroever. Dan rolden ze de potten en pannen door het water naar de tweede rij voor de volgende schoonmaakronde. Ondertussen werd de rest van de vaat tegen de stroom in van hand tot hand doorgegeven, en het water spoelde de tadèkka weg.

Ten slotte verscheen Mabroeka, de zwemkampioene, op het toneel. Zij was in de burgeroorlog die op de machtsovername van de Fransen was gevolgd, gekidnapt uit een dorp in de buurt van de kuststad Agadir, en in haar kindertijd placht ze van hoge rotsen de oceaan in te duiken. Niet alleen kon ze zwemmen als een vis en heel lang onder water blijven, maar ook voorkwam ze regelmatig dat een medevrouw werd meegesleurd naar Kenitra, de stad waar de Seboe in zee uitkomt. Tijdens de vaatwasexpedities was het haar taak alle potten en pannen te vangen die aan de greep van de andere vrouwen ontsnapt waren, de stroom te trotseren en ze weer aan land te brengen. De vrouwen klapten altijd in hun handen en juichten als ze opdook uit het water met een pot of een pan op haar hoofd, en de 'boosdoener' die de pot had laten schieten moest diezelfde avond nog een wens van haar vervullen. De wens varieerde, afhankelijk van de vaardigheden van de schuldige. Als dat Jasmina was, vroeg Mabroeka om *sfindj*, grootmoeders weergaloze donuts.

Als de potten schoon waren, werden ze teruggestuurd naar Jasmina, die ze overhandigde aan Krisja, de sleutelfiguur van de hele operatie. Krisja, wat letterlijk 'Buikje' betekent, was de bijnaam die de dames gegeven hadden aan Mohammed al-Gharbawi, hun favoriete en bijzonder verwende voerman. Krisja was een plaatselijke Gharbawi, geboren in de Gharb, de kustvlakte tussen Tanger en Fes. Hij woonde met zijn vrouw Zina een paar honderd meter van de boerderij, was nooit buiten zijn dorp geweest en had niet het gevoel dat hij veel miste. 'Een mooiere plek dan de Gharb vind je nergens ter wereld,' zei hij vaak, 'met uitzondering van Mekka.' Hij was erg lang en droeg altijd een indrukwekkende witte tulband en een zware bruine *boernoes* (cape), die hij elegant over zijn schouders wierp. Eigenlijk zag hij eruit als een man van gezag, maar op een of andere manier was hij dat niet. Hij was niet uit op macht, orde vond hij niet zo belangrijk en regels handhaven verveelde hem. Het was gewoon een aardige man, die geloofde dat de meest schepselen van Allah hersens genoeg hadden om zich verantwoordelijk te gedragen, om te beginnen zijn vrouw, die in de huishouding ongestraft de kantjes eraf liep. 'Als ze huishoudelijk werk niet leuk vindt,' zei hij, 'dan is dat voor mij geen reden tot echtscheiding. We redden ons wel.'

Krisja was niet wat je noemt een drukbezet iemand. Als hij niet met zijn kar reed, at hij of lag hij te slapen, maar hij raakte vaak intensief betrokken bij de activiteiten van de vrouwen, vooral als daarbij mensen of dingen vervoerd moesten worden.

Vaatwassen in de rivier zou onmogelijk geweest zijn zonder Krisja. Veel van de af te wassen voorwerpen waren zware koperen potten, ijzeren pannen en aarden twadjèn, die elk ruim zes kilo wogen. (Om iedereen in een grote huishouding als die van de boerderij te kunnen voeden, had je grote potten en pannen nodig.) Zonder de hulp van Krisja en zijn paard en wagen hadden de vrouwen die nooit van de keukens bij de rivier kunnen krijgen. Omdat Krisja, het Buikje, geen weerstand kon bieden aan een goed maal, kon je hem bergen laten verzetten wanneer je zijn geliefde koeskoes met gedroogde rozijnen, gevulde duiven en een heleboel met honing gezoete uien voor hem klaarmaakte.

Het was een van Krisja's officiële plichten om de vrouwen eenmaal per week naar de *hammám*, het openbare badhuis, te brengen. De hammám stond in Sidi Slimán, een dorp tien kilometer van de boerderij, en het was altijd dolle pret om met Krisja te rijden. De vrouwen sprongen in en uit de wagen en vroegen elke twee minuten of hij even kon stoppen 'zodat we kunnen gaan plassen.' Hij had altijd hetzelfde antwoord, dat iedereen telkens weer deed brullen van het lachen: 'Dames, het is raadzaam en zelfs aan te bevelen om in uw sarwal te plassen. Het belangrijkste is niet of u al dan niet plast, maar of u in deze vervloekte wagen blijft zitten tot ik veilig en wel in Sidi Sliman ben.' Als ze in Sidi Sliman aankwamen, klom Krisja langzaam van de bok, posteerde zich op het trottoir en begon de vrouwen op zijn vingers te tellen terwijl ze de hammam binnen gingen. 'Ga alstublieft niet op in de stoom, dames,' zei hij dan. 'U moet allemaal "present" kunnen zeggen als we vanavond teruggaan.'

Ja, ze waren wild op Jasmina's boerderij.

9
Maanbeschenen avonden op het terras

Op Jasmina's boerderij wist je nooit wanneer er gegeten zou worden. Soms bedacht Jasmina pas op het laatste moment dat ze mij iets te eten moest geven, en dan overtuigde ze mij ervan dat ik genoeg had aan een paar olijven en een stuk van het heerlijke brood dat zij 's morgens vroeg had gebakken. Nee, dan het eten in onze harem in Fes. Daar aten we op vaste tijden en nooit tussen de maaltijden door.

Bij het eten in Fes moest je op je voorgeschreven plaats aan een van de vier gemeenschappelijke tafels zitten. De eerste tafel was voor de mannen, de tweede voor de belangrijke vrouwen, en de derde voor de kinderen en de minder belangrijke vrouwen, wat wij uitstekend vonden, want dat betekende dat tante Habiba bij ons zat. De laatste tafel was gereserveerd voor het personeel en voor iedereen die te laat binnenkwam, ongeacht leeftijd, rang of geslacht. Die tafel was dikwijls overvol, en alleen dáár kon je nog iets te eten krijgen als je zo stom was geweest niet op tijd te komen.

Eten op vaste tijden was voor moeder een van de vervelendste dingen van het gemeenschappelijke leven. Ze zeurde vader voortdurend aan zijn hoofd over de mogelijkheid eruit te breken en met ons gezin apart te gaan wonen. De nationalisten verdedigden het einde van de afzondering en de sluier, maar zeiden geen woord over het recht van echtparen zich van hun familie los te maken. In feite woonden de meeste leiders nog bij hun ouders. De mannelijke nationalistische beweging was voor vrouwenbevrijding, maar kon zich nog niet voorstellen dat oude mensen op zichzelf konden wonen of dat een echtpaar een eigen huishouding zou kunnen opzetten. Beide dingen leken onjuist en grof.

Moeder had vooral een hekel aan het vaste lunchuur. Ze stond altijd als laatste op en hield van een laat, uitgebreid ontbijt dat ze met een flamboyante, uitdagende houding voor zichzelf klaarmaakte onder de afkeurende blikken van grootmoeder Lalla Mani. Ze maakte roerei voor zichzelf en *baghrir* (dunne flensjes) met zuivere honing en verse boter erop, en natuurlijk liters thee. Meestal ontbeet ze om elf uur, precies wanneer Lalla Mani aan haar reinigingsritueel voor het middaggebed begon. En daarna kon moeder twee uur later aan de gemeenschappelijke tafel vaak geen hap meer door haar keel krijgen. Soms verscheen ze helemaal niet aan tafel, vooral als ze vader wilde ergeren, want een maaltijd overslaan werd als verschrikkelijk onbeleefd en veel te individualistisch beschouwd.

Moeder droomde van een eigen huis alleen met vader en ons kinderen. 'Heb je ooit gehoord van tien vogels die samen in één nest zitten gepropt?' vroeg ze. 'Het is niet natuurlijk om in een grote groep te wonen, tenzij het je bedoeling is mensen ongelukkig te maken.' Hoewel vader zei dat hij niet zo goed op de hoogte was van de leefgewoonten van vogels, voelde hij toch met moeder mee, en hij werd verscheurd tussen zijn plicht jegens de traditionele familie en zijn verlangen haar gelukkig te maken. Hij voelde zich schuldig bij de gedachte de solidariteit met de familie op te geven, omdat hij maar al te goed wist dat grote families in het algemeen en het haremleven in het bijzonder snel bezig waren overblijfselen uit het verleden te worden. Hij voorspelde zelfs dat wij de komende decennia net zo zouden worden als de christenen, die hun oude ouders bijna nooit bezochten. In feite hadden de meesten van mijn ooms die het grote huis al verlaten hadden, zelden meer tijd om hun moeder Lalla Mani vrijdags na het gebed op te zoeken. 'Hun kinderen kussen ook geen handen meer', zo klonk het voortdurende refrein. Al mijn ooms hadden tot voor kort in ons huis gewoond en ze waren pas vertrokken toen het verzet van hun vrouw tegen het gemeenschappelijke leven ondraaglijk was geworden. Dat gaf moeder hoop.

De eerste die de familie had verlaten was oom Karim, de vader van nicht Malika. Zijn vrouw was dol op muziek en hield van zingen, waarbij ze begeleid werd door oom Karim, die prachtig luit speelde. Maar hij gaf zelden gevolg aan de wens van zijn vrouw om een avond te zingen in hun salon, omdat zijn oudere broer, oom Ali, het voor een man onfatsoenlijk vond om te zingen of een muziekinstrument te bespelen. Op een dag nam de vrouw van oom Karim gewoon haar kinderen mee en ging terug naar het huis van haar vader, en ze zei dat ze niet van plan was ooit nog in het gemeenschappelijke huis terug te komen. Oom Karim, een vrolijke kerel die zichzelf ook vaak beperkt had gevoeld door de discipline van het haremleven, zag een kans om te vertrekken en greep die aan, met het excuus dat hij liever toegaf aan de wensen van zijn vrouw dan zijn huwelijk te verspelen. Niet lang daarna gingen al mijn andere ooms het huis uit, de een na de ander, totdat alleen oom Ali en vader nog over waren. Het vertrek van vader zou dus de dood van onze grote familie hebben betekend. 'Zo lang mijn moeder nog leeft,' zei hij vaak, 'wil ik de traditie niet afvallen.'

Maar vader hield erg veel van zijn vrouw, en dat hij niet aan haar verlangen tegemoet kwam gaf hem een ellendig gevoel. Hij stelde voortdurend compromissen voor, en een daarvan was om een hele provisiekast voor haar te vullen, zodat ze op haar eentje iets kon eten als ze daar trek in had, apart van de rest van de familie. Want een van de problemen in het gemeenschappelijke huis was dat je niet zomaar een kast open kon doen en er iets uithalen als je honger had. Het hele idee achter de harem was dat iedereen leefde volgens het ritme van de groep. Je kon niet gewoon eten als je daar zin in had. Lalla Radia, de vrouw van mijn oom, had de sleutel van de voorraadkamer, en hoewel ze na de maaltijd altijd vroeg wat we de volgende dag wilden eten, moesten we toch eten wat de groep na uitvoerige discussies gekozen had. Als de groep het eens werd over koeskoes met kekers en rozijnen, dan kreeg je dat. Als je toevallig een hekel had aan kekers en rozijnen, dan zat er niets anders op dan je mond houden en genoegen nemen met een karige maaltijd die bestond uit een paar olijven en een heleboel tact.

'Wat een tijdverspilling,' zei moeder vaak, 'die eindeloze discussies over maaltijden! De Arabieren zouden veel beter af zijn als ze iedereen zelf lieten beslissen wat hij of zij wilde slikken. Het maakt het alleen maar ingewikkeld als je iedereen dwingt tot drie gemeenschappelijke maaltijden per dag. En om welke heilige reden? Geen enkele natuurlijk.' Daarna zei ze dan dat haar hele leven absurd was, dat het allemaal geen zin had, en dan zei vader weer dat hij niet zomaar weg kon gaan. Dat de traditie zou verdwijnen als hij dat deed: 'We leven in moeilijke tijden, het land is bezet door buitenlandse legers, onze cultuur wordt bedreigd. Deze tradities zijn het enige dat we nog hebben.' Die redenering maakte moeder dol: 'Denk jij dat we door bovenop elkaar te blijven zitten in dit idiote grote huis, de kracht krijgen om de buitenlandse legers eruit te gooien? En dan nog, wat is belangrijker, traditie of het geluk van de mensen?' Daarmee kwam dan abrupt een eind aan het gesprek. Vader probeerde haar hand te strelen, maar die trok zij terug. 'Ik stik in die traditie,' fluisterde ze met tranen in haar ogen.

Dus bleef vader compromissen aanbieden. Hij regelde

niet alleen een eigen voedselvoorraad voor moeder, maar nam ook dingen voor haar mee waarvan hij wist dat ze ervan hield: dadels, noten, amandelen, honing, bloem en luxe oliën. Ze kon alle nagerechten en koekjes maken die ze wilde, maar ze werd niet geacht een vleesgerecht of een hoofdmaaltijd klaar te maken. Dat zou voor het gemeenschapsleven het begin van het einde zijn geweest. Haar zwierig toebereide persoonlijke ontbijten waren voor de rest van de familie al beledigend genoeg. Heel af en toe lukte het moeder toch een complete lunch of een heel diner te maken, maar dat moest ze niet alleen tactvol doen, ze moest er ook een exotisch tintje aan geven. De meest gebruikelijke camouflage was die van een avondpicknick op het terras.

De tête-à-têtediners op het terras die een enkele keer op een maanbeschenen zomeravond werden gegeven, vormden ook een vredesvoorstel dat vader aan moeder deed om aan haar verlangen naar privacy tegemoet te komen. We verhuisden naar het terras als nomaden, met matrassen, tafels, dienbladen en de wieg van mijn kleine broertje die midden tussen alles in werd gezet. Moeder was buiten zichzelf van vreugde. Niemand anders van de binnenplaats durfde zich te vertonen, want iedereen begreep maar al te goed dat moeder de menigte ontvluchtte. Wat ze het allerleukste vond was: de altijd zo beheerste vader uit zijn tent lokken. Het duurde niet lang of ze begon zich aan te stellen als een jong meisje en vader uit te dagen: 'Je kan niet meer hardlopen, daar ben je te oud voor! Bij de wieg van je zoon zitten kijken, dat is het enige dat je nu nog kan.' Vader, die tot op dat moment had zitten glimlachen, keek eerst alsof die woorden hem helemaal niet raakten. Maar opeens verdween zijn glimlach en begon hij haar achterna te zitten, het hele terras over, springend over dienbladen en sofa's. Soms bedachten ze met z'n tweeën spelletjes waaraan mijn zusje,

Samir (de enige van buiten ons gezin die bij de maanbeschenen bijeenkomsten aanwezig mocht zijn) en ikzelf meegededen. Maar vaker vergaten ze alles om zich heen en liepen wij kinderen de hele volgende dag te niesen omdat ze vergeten waren ons toe te dekken toen we in slaap vielen.

Na deze zalige avonden was moeder een hele week in een ongebruikelijk zachte en rustige stemming. Dan zei ze tegen mij dat ik, wat ik ook met mijn leven ging doen, in elk geval haar moest wreken. 'Ik wil dat mijn dochters een opwindend leven zullen leiden,' zei ze dan, 'erg opwindend en gevuld met honderd procent geluk, niets meer en niets minder.' Ik hief mijn hoofd op, keek haar ernstig aan en vroeg wat honderd procent geluk betekende, want ik wilde haar laten weten dat ik van plan was daar erg mijn best voor te doen. Geluk, legde ze uit, was dat je je goed voelde, licht, creatief, tevreden, vol liefde en geliefd, en vrij. Als je ongelukkig was had je het gevoel dat je verlangens en talenten achter tralies zaten. Een gelukkige vrouw was iemand die gebruik maakte van allerlei rechten, van het recht op bewegingsvrijheid tot het recht om te scheppen, te wedijveren en uit te dagen, en die daarbij wist dat ze bemind werd omdat ze dat deed. Geluk was onder meer dat je bemind werd door een man die genoot van je kracht en trots was op je talenten. Geluk was ook dat je privacy had, het recht om je aan het gezelschap van anderen te onttrekken en je in een beschouwende eenzaamheid te storten. Of om een hele dag in je eentje niets te doen, daar geen excuses voor te geven en je er niet schuldig over te voelen. Geluk was dat je bij je beminden was en toch het gevoel had een zelfstandig wezen te zijn dat niet alleen leefde om hen gelukkig te maken. Geluk was dat er een evenwicht bestond tussen wat je gaf en wat je nam. Toen vroeg ik haar hoeveel geluk zij in haar leven had gehad, gewoon om daar een idee van te krijgen, en ze zei dat dat met de dag verschilde. Op sommige dagen had ze maar vijf procent geluk, op andere, zoals de avonden met vader op het terras, de volle honderd procent.

Honderd procent geluk leek mij, als jong meisje, een beetje hoog gemikt, vooral omdat ik kon zien hoe moeder moest ploeteren om haar ogenblikken van geluk tot stand te brengen. Hoeveel tijd en energie stopte ze niet in het organiseren van die prachtige maanbeschenen avonden waarop ze dicht bij vader zat, zachtjes in zijn oor praatte, haar hoofd op zijn schouder! Ik vond dat een hele prestatie, want ze moest hem al dagen tevoren gaan bewerken, en dan moest ze nog voor de hele logistiek zorgen: het koken en het verhuizen van de meubels. Het was indrukwekkend om zoveel vasthoudendheid te investeren alleen maar om een paar uur geluk te krijgen, en ik wist tenminste dat het mogelijk was. Maar hoe kon ik een levenslange verrukking van zo'n hoog niveau bereiken? Goed, als moeder dacht dat het kon lukken, dan moest ik het zeker proberen.

'De tijden worden beter voor vrouwen, dochterlief,' zei ze. 'Jij en je zusje krijgen een goede opleiding, jullie kunnen straks vrij op straat lopen en de wereld ontdekken. Ik wil dat jullie onafhankelijk worden, onafhankelijk en gelukkig. Ik wil dat jullie stralen als manen. Ik wil dat jullie leven een waterval van heldere verrukkingen is. Honderd procent geluk. Niets meer, niets minder.' Maar als ik doorvroeg hoe je dat geluk moest scheppen, werd moeder ongeduldig. 'Je moet eraan werken. Je ontwikkelt de spieren voor geluk zoals je ze ook ontwikkelt voor lopen en ademen.'

Dus zat ik elke morgen op onze drempel, beschouwde de verlaten binnenplaats en droomde van mijn prachtige toekomst, een waterval van heldere verrukkingen. Misschien, dacht ik, kan ik spieren voor geluk ontwikkelen door vast te houden aan de romantische maanbeschenen avonden op het terras, te zorgen dat je geliefde man zijn sociale plichten vergeet, zich ontspant en dwaas gaat doen en naar de sterren kijkt terwijl hij je hand vasthoudt. Of door zachte avonden te organiseren, waarin het lachen zich vermengt met de lentebries.

Maar die magische avonden waren zeldzaam, zo leek het althans. Overdag was het leven veel stugger en strenger. Officieel werd er in het Mernissi-huishouden niet rondgesprongen of gek gedaan. Dat bleef beperkt tot clandestiene tijden en ruimtes, zoals namiddagen op de binnenplaats wanneer de mannen er niet waren, of avonden op de verlaten terrassen.

10
De mannensalon

Het probleem met amusement, plezier en gek doen in ons huis was dat je het gemakkelijk misliep. Het werd nooit van tevoren gepland, tenzij nicht Sjama of tante Habiba ervoor verantwoordelijk waren, en zelfs dan waren er nog ernstige ruimteproblemen. Tante Habiba moest haar verhalen boven vertellen en Sjama moest haar toneelvoorstellingen boven geven. Op de binnenplaats kon je nooit lang echt plezier hebben, die was te openbaar. Net als het leuk begon te worden kwamen de mannen binnen om over zaken te praten of naar de radio te luisteren of het nieuws te bediscussiëren, en dan moest je ergens anders heen. Goed amusement vraagt om concentratie en stilte, zodat de ceremoniemeesters, de verhalenvertellers en de acteurs hun magie kunnen scheppen. Magie kon je niet scheppen op de binnenplaats, waar voortdurend tientallen mensen van de ene salon naar de andere liepen, de trappen op en af kwamen of naar elkaar riepen van de ene verdieping naar de andere. En magie kon je al helemaal niet scheppen als de mannen over politiek praatten, dat wil zeggen, naar de radio luisterden via de luidsprekers, of de plaatselijke en internationale kranten lazen.

De politieke discussies van de mannen waren altijd erg emotioneel. Als je goed luisterde naar wat ze zeiden, kreeg je de indruk dat het einde van de wereld nabij was. (Moeder zei dat de planeet allang vergaan zou zijn als je de radio en het commentaar van de mannen mocht geloven.) Ze hadden het over de Alleman (Duitsers), een nieuw soort christenen, die bezig waren de Fransen en de Britten een pak slaag te geven, en ze hadden het over een bom die de Amerikanen aan de overkant van de oceaan op Japan hadden laten vallen, een Aziatisch land in de buurt van China, duizenden kilometers ten oosten van Mekka. Niet alleen had de bom duizenden en nog eens duizenden mensen gedood en hun lichamen doen smelten, hij had ook hele bossen van de aardbodem weggevaagd. Het nieuws van die bom bracht vader, oom Ali en mijn jonge neven tot diepe wanhoop, want als de christenen die bom op de Aziaten hadden gegooid die zo ver weg woonden, dan was het alleen nog maar een kwestie van tijd voordat ze de Arabieren zouden aanvallen. 'Vroeg of laat,' zei vader, 'zullen ze in de verleiding komen ook de Arabieren te verbranden.'

Samir en ik waren dol op de politieke discussies van de mannen, omdat we dan de volle mannensalon in mochten, waar oom en vader, in hun gemakkelijke witte djellaba gekleed, te midden van de *sjabab* (jeugd) zaten, dat wil zeggen de halfvolwassen en ongetrouwde jonge mannen die in het huis woonden, een stuk of tien. Vader maakte vaak grappen met de sjabab over hun ongemakkelijke, strakke westerse kleren, en zei dat ze nu eigenlijk op stoelen moesten zitten. Maar natuurlijk had iedereen een hekel aan stoelen. Sofa's zaten veel lekkerder.

Ik klom dan bij vader op schoot en Samir klom bij oom op schoot. Oom zat met gekruiste benen midden op de hoogste sofa, met zijn smetteloze witte djellaba aan en zijn witte tulband op, terwijl zijn zoon Samir op zijn schoot zat in Prince-of-Wales shorts. Ik nestelde mij op mijn vaders schoot, keurig gekleed in een van mijn superkorte Franse witte jurkjes met satijnen linten om het middel. Moeder wilde altijd dat ik volgens de laatste westerse mode gekleed ging: korte, donzig kanten jurkjes met gekleurde linten en glimmende zwarte schoenen. Het enige probleem was dat ze in woede ontstak als ik de jurk vuil maakte of de linten in de war bracht, en daarom smeekte ik haar vaak mij mijn gemakkelijke sarwal te laten dragen of een ander traditioneel kledingstuk waar ik minder op hoefde te letten. Maar alleen op religieuze feestdagen, als vader aandrong, liet ze mij mijn kaftan dragen, zo graag zag ze mij aan de traditie ontsnappen. 'Kleren zeggen zo veel over de plannen van een vrouw,' zei ze. 'Als je modern wilt zijn, breng dat dan tot uiting in wat je draagt, anders stoppen ze je zo achter de muren. Kaftans zijn misschien weergaloos mooi, maar westerse kleding heeft te maken met betaald werk.' Zo ging ik kaftans associëren met uitbundige vakanties, religieuze feesten en de glans van onze vooroudergeschiedenis, en westerse kleding met pragmatisch cijferen en de strenge dagelijkse taken van het beroepsleven.

In de mannensalon zat vader altijd tegenover oom, op de sofa bij de radio, zodat hij de knoppen kon bedienen. Beide mannen droegen een dubbele djellaba, de buitenste gemaakt van sneeuwwitte zuivere wol, een specialiteit van Wazzan, een religieuze stad in het noorden met een beroemde weeftraditie, de binnenste gemaakt van zwaardere stof. Vader droeg ook het enige waarin hij een beetje excentriek was: een bleekgele tulband van geborduurde katoen uit Sjam (Syrië).

'Maar wat helpt het als wij onze traditionele kleding dragen,' grapte vader op een dag tegen mijn jonge neven die om hem heen zaten, 'als jullie jonge mensen je allemaal kleden als Rudolph Valentino?' Zonder uitzondering waren ze op z'n westers uitgedost, en met hun korte onbedekte haar dat boven hun oren was afgeknipt, leken ze sprekend op de Franse soldaten aan het eind van de straat. 'Op een dag zullen we er waarschijnlijk in slagen de Fransen eruit te gooien, om vervolgens te ontdekken dat we allemaal op hen lijken,' voegde oom eraan toe.

Onder de jonge neven die regelmatig de salon bezochten waren de drie broers van Samir, Zin, Djawad en Sjakib, en alle zonen van de bij ons wonende tantes en verwanten die gescheiden of weduwe waren. De meesten van hen zaten op nationalistische scholen, maar een paar van de intelligentsten bezochten het zeer selecte Collège Musulman, dat slechts enkele meters van ons huis stond. Het Collège was een Franse middelbare school, waar de zonen van prominente families werden voorbereid op sleutelposities, en het niveau van de studenten werd afgemeten aan hun kennis van de Arabische én de Franse taal en geschiedenis. Om het Westen te kunnen verslaan moest je op z'n minst twee culturen beheersen.

Van al mijn neven werd Zin als de meest getalenteerde beschouwd. Wanneer hij in de salon was, zat hij meestal naast oom, met de Franse kranten ostentatief op zijn schoot. Hij was uitzonderlijk knap om te zien, met zijn prachtige bruine haar, amandelvormige ogen, hoge jukbeenderen en een lichte snor. Hij leek duidelijk op Rudolph Valentino, die we vaak in de Boedjeloed-bioscoop zagen, waar we op twee films tegelijk werden getrakteerd, een Egyptische in het Arabisch, en een westerse in het Frans. De eerste keer dat Samir en ik Rudolph Valentino zagen, adopteerden wij hem prompt als lid van onze harem, omdat hij zo op onze neef Zin leek. In die tijd had Zin zijn voorkomen van 'de Sjeik' al gecultiveerd: norse blik, donkere kleding, een scheiding in zijn haar, een kleine rode bloem in zijn borstzak.

De naam Zin betekende heel toepasselijk 'schoonheid', en net als iedereen bewonderde ik zijn knappe elegantie, en had ik respect voor hem omdat hij zo goed Frans sprak, een taal die niemand anders in de familie toen nog beheerste. Ik kon uren naar hem luisteren als die bizarre Franse klanken uit zijn keel kwamen. Ook alle anderen keken vol ontzag naar hem op als oom hem gebaarde de Franse kranten te gaan voorlezen. Hij begon heel snel met de koppen, en ging dan terug naar de artikelen die oom of vader er hadden uitgepikt, min of meer intuïtief, want hun Frans was tamelijk slecht. Die las hij dan luidkeels voor, voordat hij een samenvatting in het Arabisch gaf.

Van de manier waarop Zin Frans sprak, en vooral van de manier waarop hij de r liet rollen, was ik diep onder de indruk. Ik had een armzalige r, zelfs in het Arabisch, en mijn lerares Lalla Tam onderbrak me vaak als ik de Koran reciteerde, om mij erop te wijzen dat mijn voorouders een zeer krachtige r hadden. 'Je moet respect hebben voor je voorouders, Fatima Mernissi,' zei ze dan. 'Je vermoordt het onschuldige alfabet.' Ik zweeg, luisterde beleefd naar haar, en beloofde respect te hebben voor mijn voorouders. Dan zette ik mijn borstkas uit en deed een dappere, wanhopige poging een robuuste r uit te spreken. Het resultaat was meestal dat ik me verslikte. Nee, dan Zin, zo begaafd en welsprekend dat hij zonder enige zichtbare moeite Frans kon spreken en honderden r's kon laten rollen. Ik zat vaak ingespannen naar hem te kijken, met de gedachte dat iets van zijn bevalligheid en misschien wel zijn geheimzinnige vermogen om de r te laten rollen op mij zou overgaan als ik me maar genoeg concentreerde.

Zin deed erg zijn best de ideale moderne nationalist te worden, dat wil zeggen iemand met een uitgebreide kennis van de Arabische geschiedenis, legenden en poëzie, die bovendien vloeiend Frans sprak, de taal van onze vijand, zodat hij de christelijke pers kon ontcijferen en hun plannen kon ontsluieren. Hij slaagde daar wonderwel in. Hoewel de superioriteit van de moderne christenen op het gebied van de natuurwetenschappen en de wiskunde evident was, moedigden de nationalistische leiders de jongeren aan de klassieke verhandelingen van Avicenna en Al-Chwarizmi[15] te lezen, 'gewoon om een idee te krijgen van hoe zij dachten. Het is altijd nuttig om te weten dat je voorouders slim en nauwkeurig waren.' Vader en oom zagen Zin als iemand van de nieuwe generatie Marokkanen die het land ging redden. Hij leidde de vrijdagse optocht naar de Qarawiyyin-moskee, waar alle mannen van Fes, jong en oud, in hun traditionele witte djellaba en hun mooie gele leren muilen kwamen opdagen voor het openbare gebed.

Ogenschijnlijk was er een religieuze reden voor de vrijdagse bijeenkomst in de moskee, maar iedereen wist dat veel belangrijke politieke besluiten van de *Madjlis al-Baladi*, de gemeenteraad, in feite hier genomen werden. Ook de Fransen wisten dat. Niet alleen alle leden van de gemeenteraad, zoals oom Ali, woonden deze gebedsdienst bij, maar ook afgevaardigden van alle belangengroepen in de stad, van de aanzienlijkste tot de nederigste. De moskee, die voor iedereen open stond, vormde een compensatie voor het exclusieve karakter van de gemeenteraad, die volgens oom Ali door de Fransen was opgezet als een vergadering van hoogwaardigheidsbekleders. 'De Fransen hebben hun adel en hun koningen wel afgezet,' zei hij, 'maar toch praten ze nog het liefst alleen met hooggeplaatsten, en het is aan ons, de plaatselijke elite, onze verantwoordelijkheid te nemen en met het volk te communiceren. Iedereen met een politiek ambt moet regelmatig het vrijdaggebed bijwonen. Dat is de manier om contact te houden met je achterban.'

Vijf groepen die eeuwenlang garant hadden gestaan voor de intellectuele en economische positie van Fes in Marokko, waren op vrijdag altijd sterk vertegenwoordigd in de moskee. Ten eerste de *oelemá*, de geleerden, die hun leven aan de wetenschap hadden gewijd en die hun stamboom dikwijls konden terugvoeren tot in Andalusië oftewel islamitisch Spanje. Zij waren de hoeders van de traditie van het boek en de boekproductie, van papier maken, kalligrafie en boekbinden tot lezen, schrijven en zeldzame uitgaven verzamelen. Dan had je de *sjoerafá*, de afstammelingen van de Profeet, die een enorm aanzien genoten en een symbolische sleutelrol speelden bij de rituelen van huwelijk, geboorte en dood. De sjoerafá stonden bekend om hun bescheiden middelen; geld verdienen en een fortuin vergaren hield hen niet zo bezig. Dat was meer de obsessie van de *tudjdjár*, de kooplieden, die de derde, zeer mobiele en sluwe groep vormden. Dat waren de avonturiers, en in de pauze tussen de gebeden beschreven ze vaak hun riskante reizen naar Europa en Azië, waar ze luxe artikelen, goederen en machines kochten, of naar het zuiden, voorbij de Sahara. Vervolgens had je de families van de *fellahín*, de landeigenaren, de groep waartoe oom en vader behoorden. Het woord *fellah* sloeg op twee tegenovergestelde groepen: aan de ene kant arme, landloze boeren, aan de andere kant rijke landeigenaren en geraffineerde landbouwontwikkelaars. Oom en vader waren er trots op fellah te zijn, maar zij behoorden tot de tweede categorie. Oom en vader waren gehecht aan hun land en vonden niets zo heerlijk als lange dagen op hun boerderij doorbrengen, ook al hadden ze ervoor gekozen in de stad te wonen. De fellahin bedreven de landbouw op tamelijk grote schaal, en deden vaak erg hun best de moderne landbouwtechnieken onder de knie te krijgen die de koloniale Fransen hadden ingevoerd. Veel families van landeigenaren kwamen net als de onze oorspronkelijk uit het Voorrifgebergte ten noorden van de stad, en waren trots op hun boerenafkomst, vooral wanneer ze geconfronteerd werden met de verwaande arrogantie van de Andalusiërs, de geleerden. 'De oelemá zijn inderdaad wel belangrijk,' zei vader altijd als het gesprek op de hiërarchie in de stad kwam, 'maar als ze ons niet hadden om het voedsel voor hen te produceren, dan zouden ze doodgaan van de honger. Je kunt een heleboel doen met een boek – je kunt het bekijken, erin lezen, nadenken over de gedachten die erin beschreven worden enzovoort. Maar eten kun je het niet. Dat is het probleem van de intellectueel. Je hoeft je dus echt niet door een intellectueel te laten imponeren. Je kunt beter een fellah zijn zoals wij, die van het land houden en het bewonderen, en vervolgens onszelf ontwikkelen. Als je op het land kunt werken *en* boeken kunt lezen, dan kan je niets gebeuren.' Vader maakte zich veel zorgen om de sjabab, de jonge mannen in de familie, die zich te veel met boeken amuseerden en de belangstelling voor het land verloren, en daarom stond hij erop dat ze in hun zomervakantie met hem meegingen naar de boerderij van oom, enkele kilometers van Fes.

De vijfde en grootste sleutelgroep in de stad was die van de handwerkslieden, die praktisch alles hadden geproduceerd wat in Marokko nodig was voordat de Fransen de markten waren binnengedrongen met hun machinaal vervaardigde goederen. De wijken in Fes waren genoemd naar de producten die de handwerkslieden daar maakten. Haddadín, letterlijk ijzerwerkers, was de wijk waar metalen voorwerpen werden gemaakt, van ijzer en koper. Dabbaghín was de wijk van de leerlooiers, de pottenbakkers woonden in Fachcharín, en om dingen van hout te kopen ging je naar Nadjdjarín (houtbewerkers). De rijkste handwerkslieden waren degenen die met goud en zilver werkten, en degenen die van zijden draden luxe *sfifa* (passementen) maakten voor door vrouwen voorgeborduurde kaftans.[16] Mensen uit één wijk zaten in de moskee vaak bij elkaar en liepen als groep terug naar huis, babbelend en ideeën uitwisselend over het laatste nieuws.

Neef Zin en de andere jonge mannen gingen altijd te voet naar de vrijdagse bijeenkomsten in de moskee, terwijl de oudere mannen hen op een afstand van slechts enkele meters volgden, soms te voet, soms op hun muilezel. Samir en ik waren blij als oom en vader hun muilezel namen, want dan konden wij ook van de partij zijn. We zaten elk op de muilezel van onze vader, voor het zadel. Vader aarzelde de eerste keer dat ik met hem mee wilde naar de moskee, maar ik krijste zo hard dat oom tegen hem zei dat het helemaal geen kwaad kon een klein meisje mee naar de moskee te nemen. In de Hadith stond dat de Profeet, Allah zegene hem en schenke hem vrede!, in de moskee had gebeden terwijl een vrouwelijk kind voor hem aan het spelen was.

Wat de kleding van de jonge mannen op deze vrijdagen betreft: de enige concessie die ze aan de traditie deden was dat ze in plaats van hun hoofd onbedekt te laten het driehoekige vilten hoofddeksel droegen dat bij de Egyptische nationalisten populair was geworden. Deze vilten hoofddeksels konden voor problemen zorgen in tijden van onrust, wanneer de Franse politie hysterisch werd, omdat deze rage voor het eerst onze medina had bereikt toen Allal al-Fassi, een uit Fes afkomstige held die zich tegen de Franse aanwezigheid in Noord-Afrika had verzet en vaak gevangen had gezeten en ook verbannen was geweest, ermee in de Qarawiyyin-moskee was verschenen. Later droeg onze koning Mohammed v het vilten hoofddeksel, elegant achterover zodat zijn serene voorhoofd zichtbaar bleef, bij een officiële bijeenkomst met de Franse Résident Général in Rabat, en toen concludeerden buitenlandse analytici van Arabische zaken dat er van hem voor hun belangen niets goeds meer te verwachten viel. Een koning die zijn traditionele tulband inruilde tegen een subversief vilten hoofddeksel was niet meer te vertrouwen.

In elk geval leefden traditie en moderniteit harmonieus naast elkaar, zowel in de kleding van de jonge mannen als in ons huis tijdens de nieuwsbijeenkomsten van de mannen. Eerst luisterde iedereen naar het nieuws op de radio in het Arabisch en in het Frans. Dan zette vader de radio uit en luisterde de groep naar de jonge mannen die de geschreven pers voorlazen en becommentarieerden. Er werd thee geschonken, en Samir en ik werden geacht te luisteren zonder te veel te interrumperen. Maar dikwijls drukte ik mijn hoofd tegen vaders schouder en fluisterde 'Wie zijn dat, de Allemán? Waar zijn ze vandaan gekomen en waarom vechten ze tegen de Fransen? Waar verbergen ze zich, want de Spanjaarden zitten toch al in het noorden en de Fransen in het zuiden?' Vader beloofde altijd dat hij het mij later zou uitleggen als we weer in onze salon waren. En hij legde het herhaaldelijk uit, maar ik bleef het verwarrend vinden, en Samir ook, ondanks al onze pogingen de stukjes van de puzzel aan elkaar te passen.

11
De Tweede Wereldoorlog
vanuit de binnenplaats gezien

De Alleman waren christenen, dat was zeker. Ze woonden in het noorden zoals alle andere christenen, in wat wij Blad Teldj of het Sneeuwland noemden. Allah begunstigde de christenen niet: ze hadden een ruw en koud klimaat dat hen chagrijnig maakte, en gemeen als de zon zich maandenlang niet vertoonde. Om zichzelf te verwarmen moesten ze wijn en andere soorten sterke drank drinken, en dan werden ze agressief en begonnen ze amok te maken. Soms dronken ze wel thee, net als wij allemaal, maar zelfs hun thee was bitter en brandend en leek helemaal niet op de onze, die altijd ge-parfumeerd was met munt of zelfs met absint of mirte. Neef Zin, die in Engeland was geweest, zei dat de thee daar zo bit-ter was dat ze er melk in deden. Op een keer goten Samir en ik wat melk in onze muntthee, om het eens te proberen, en het was bah! afschuwelijk! Geen wonder dat de christenen altijd ongelukkig waren en wilden vechten.

Hoe dan ook, er werd gezegd dat de Alleman gedurende lange tijd in het geheim een enorm leger hadden opge-bouwd. Niemand wist ervan, en op een dag vielen ze Frank-rijk binnen. Ze koloniseerden Parijs, de Franse hoofdstad, en begonnen de mensen de wet voor te schrijven, precies wat de Fransen hier in Fes deden. Maar wij hadden nog ge-luk, want de Fransen hielden tenminste niet van onze medi-na, de stad van onze voorouders, en hadden voor zichzelf de Ville Nouvelle gebouwd. Ik vroeg Samir wat er gebeurd zou zijn als de Fransen wel van de medina hadden gehouden, en hij zei dat ze ons zonder pardon eruit hadden gegooid en onze huizen hadden ingepikt.

De geheimzinnige Alleman hadden het echter niet alleen op de Fransen gemunt; ze hadden ook de oorlog verklaard aan de joden. De Alleman dwongen de joden op straat iets geels te dragen zodat ze meteen herkenbaar waren, net zoals de moslimmannen van vrouwen verlangden dat ze een sluier droegen. Waarom de Alleman het op joden gemunt hadden kon niemand op de binnenplaats ooit echt vertellen. Samir en ik bleven vragen stellen, op rustige middagen holden we van het ene borduurteam naar het andere, maar we kregen alleen maar speculaties te horen. 'Misschien is het hetzelfde als hier met vrouwen,' zei moeder. 'Niemand weet werkelijk waarom mannen ons dwingen een sluier te dragen. Heeft misschien iets met het verschil te maken. Uit angst voor het verschil gaan mensen soms hele rare dingen doen. Waarschijnlijk voelen de Alleman zich veiliger als ze onder elkaar zijn, net zoals de mannen in de medina, die zenuwachtig worden zodra er een vrouw verschijnt. Als de joden belang hechten aan hun verschil, brengt dat de Alleman misschien in de war. Krankzinnige wereld.'

In Fes hadden de joden hun eigen wijk, de mellah geheten. Het kostte precies een half uur om vanaf ons huis daar te komen, en de joden zagen er precies zo uit als iedereen, gekleed in lange gewaden die op onze djellaba's leken. Alleen droegen ze een hoed in plaats van een tulband. Ze gingen hun eigen gang en bleven in hun mellah, waar ze prachtige sieraden maakten en hun groenten heerlijk marineerden. Moeder had geprobeerd zucchini, kleine komkommers, en aubergines op de mellah-manier te marineren, maar het was haar nooit gelukt. 'Waarschijnlijk zeggen ze er toverwoorden bij,' concludeerde ze.

Net als wij hadden de joden hun eigen gebeden, hielden

ze van hun God en onderwezen ze hun kinderen zijn boek. Ze hadden een synagoge voor hem gebouwd die leek op onze moskee, en we hadden dezelfde profeten, afgezien van onze geliefde Mohammed, God zegene hem en schenke hem vrede! (Ik ging nooit erg ver bij het opsommen van de profeten, want het werd nogal ingewikkeld en ik was bang een fout te maken. Mijn lerares Lalla Tam zei dat je in de hel kon komen als je in religieuze zaken een fout maakte. Dat heette *tashif* (blasfemie), en omdat ik al besloten had in het paradijs te komen, probeerde ik fouten te vermijden.) Eén ding was zeker: de joden hadden sinds het begin van de wereld bij de Arabieren gewoond, en de profeet Mohammed was aan het begin van zijn optreden op hen gesteld geweest. Maar toen deden ze iets lelijks, en hij besloot dat beide religies, in steden waar ze naast elkaar bestonden, in gescheiden wijken moesten leven. De joden waren goed georganiseerd en hadden een sterke gemeenschapszin, veel sterker dan wij. In de mellah werd altijd voor de armen gezorgd en alle kinderen gingen naar zeer strenge scholen van de Alliance Israélite.

Wat ik niet begreep was wat de joden eigenlijk in het land van de Alleman deden. Hoe waren ze in het Sneeuwland terechtgekomen? Ik dacht dat joden, net als Arabieren, meer van een warm klimaat hielden en de sneeuw meden. In de tijd van de Profeet, veertien eeuwen geleden, hadden ze toch in de stad Medina gewoond, midden in de Arabische woestijn? En daarvoor hadden ze in Egypte gewoond, niet ver van Mekka, en in Syrië. In elk geval waren de joden altijd in de buurt van de Arabieren geweest.[17] Tijdens de Arabische verovering van Spanje, toen de Arabische Oemajjaden uit Damascus van Andalusië een lommerrijke tuin maakten en paleizen bouwden in Cordoba en Sevilla, stonden de joden aan hun kant. Lalla Tam had ons dat allemaal verteld, hoewel ze er zoveel over had gepraat dat ik de kluts kwijt was geraakt en dacht dat het allemaal uit de Koran kwam, ons heilige boek.

Je moet namelijk weten dat Lalla Tam meestal niet de moeite nam ons uit te leggen wat de verzen van de Koran betekenden. We schreven ze elke donderdag over op onze *loeha* (houten schrijfbord) en leerden ze op zaterdag, zondag, maandag en dinsdag uit ons hoofd. We zaten allemaal op ons kussen, met onze loeha op schoot, en lazen de woorden hardop, zongen ze heen en weer totdat ze in ons hoofd waren gezonken. Op woensdag moesten we dan van Lalla Tam opzeggen wat we geleerd hadden. Je moest je loeha op je schoot houden en met je gezicht naar beneden de verzen uit je hoofd opzeggen. Als je geen enkele fout maakte, lachte Lalla Tam. Maar als ik aan beurt was lachte ze zelden. 'Fatima Mernissi,' zei ze dan, met haar zweep dreigend boven mijn hoofd, 'jij zult het niet ver schoppen in het leven als de woorden steeds maar weer het ene oor in en het andere oor uit gaan.' Na zo'n woensdag leken de donderdag en de vrijdag bijna vakantie, ook al moesten we de loeha schoonmaken en de nieuwe verzen opschrijven. Maar al die tijd legde Lalla Tam de verzen niet uit. Ze zei dat dat nutteloos zou zijn. 'Leer maar gewoon uit je hoofd wat je op je loeha hebt geschreven,' zei ze, 'niemand zal je om je mening vragen.'

Toch praatte ze maar door over onze verovering van Spanje, en toen ik in de war raakte en dacht dat die verhalen in het heilige boek stonden, schreeuwde ze dat ik godslasterlijke taal uitsloeg en liet vader komen. Het kostte hem veel tijd om de zaken op te helderen. Hij zei dat een jongedame die van plan was de islamitische wereld te imponeren, in elk geval enkele basisfeiten moest kennen, de rest viel dan vanzelf wel op z'n plaats. Toen vertelde hij mij dat de openbaring van de Koran eindigde met de dood van de Profeet, in het jaar 11 van de Hidjra (Mohammeds vertrek uit Mekka), volgens de christelijke kalender het jaar 632. Ik vroeg vader het voor mij alsjeblieft simpel te houden en zich voorlopig aan de moslimkalender te houden omdat de christelijke zo verwarrend was, maar hij zei dat een slimme dame die geboren was aan de kusten van de Middellandse Zee, in staat moest zijn tussen minstens twee of drie kalenders heen en weer te varen. 'Van kalender wisselen wordt een automatisme als je er maar vroeg genoeg mee begint,' zei hij. Wel vond hij het goed om de joodse kalender erbuiten te laten, omdat die zoveel ouder was dan alle andere dat het mij al duizelde als ik me alleen maar probeerde voor te stellen hoe ver die terugging in de tijd.

In elk geval, om op mijn verhaal terug te komen, de Arabieren veroverden Spanje bijna een eeuw na de dood van de Profeet, in het jaar 91 van de Hidjra. Daarom wordt die verovering nergens in het heilige boek vermeld. 'Waarom blijft Lalla Tam er dan maar over doorpraten?' vroeg ik. Vader zei dat dat waarschijnlijk kwam doordat haar familie uit Spanje was gekomen. Haar achternaam was Sabata, afgeleid van Zapata, en haar vader had nog steeds de sleutel van hun huis in Sevilla. 'Ze heeft gewoon heimwee,' zei vader. 'Koningin Isabella heeft bijna haar hele familie uitgemoord.'

Hij legde verder uit dat de joden en de Arabieren zevenhonderd jaar lang in Andalusië hadden geleefd, van de tweede tot de negende eeuw van de Hidjra (achtste tot vijftiende eeuw volgens de christelijke kalender). Beide volken waren naar Spanje gegaan toen de Oemajjadische dynastie de christenen had verslagen en een rijk had gesticht met Cordoba als hoofdstad. Of was Granada de hoofdstad? Of Sevilla? Lalla Tam noemde nooit een van die steden zonder de andere twee erbij te vermelden, dus misschien hadden de mensen de keuze uit drie hoofdsteden, al mocht je er in het normale geval nooit meer dan één hebben. Maar in Spanje – door de Oemajjaden Al-Andaloes genoemd – was niets normaal.

De Oemajjadische kaliefen waren vrolijke kerels, die met veel plezier het fabelachtige Alhambra-paleis bouwden en de Giralda-toren. Vervolgens bouwden ze, om de rest van de wereld te laten zien hoe enorm hun rijk was, een identieke toren in Marrakesj, en noemden die Koetoebiyya. Voor hen bestond er geen grens tussen Europa en Afrika. 'Iedereen gooit die twee continenten maar door elkaar,' zei vader. 'Waarom liggen de Fransen anders op dit moment pal voor onze deur?'

De Arabieren en de joden hingen daar dus zevenhonderd jaar lang in Andalusië rond en vermaakten zichzelf met het reciteren van gedichten en het kijken naar de sterren vanuit hun prachtige tuinen vol jasmijn en sinaasappelen, die ze besproeiden met een ingewikkeld nieuwerwets irrigatiesysteem. Hier in Fes vergaten we hen volkomen, totdat de stad op een dag ontwaakte en hen met honderden tegelijk angstig schreeuwend Marokko binnen zag stromen, hun huissleutel in de hand. Een wrede christelijke koningin, Isabella de Katholieke, was uit de sneeuw opgerezen en achtervolgde hen. Ze had hun een vreselijk pak slaag gegeven en zei: 'Of jullie bidden net zoals wij, of we gooien jullie in de zee.' Maar eigenlijk gaf ze hun helemaal geen tijd om te antwoorden, haar soldaten duwden iedereen de Middellandse Zee in. Moslims en joden zwommen samen naar Tanger en Ceuta (tenzij ze zo gelukkig waren een boot te vinden), en zochten vervolgens een schuilplaats in Fes. Dat was vijfhonderd jaar geleden gebeurd, en daarom had je een enorme Andalusische gemeenschap midden in de medina, vlak bij de Qarawiyyin-moskee, en een grote mellah, een paar honderd meter verder.

Maar dat verklaart toch nog steeds niet hoe de joden in het land van de Alleman verzeild waren geraakt? Samir en ik praatten daarover en concludeerden dat sommige joden, toen Isabella de Katholieke begon te schreeuwen, misschien de verkeerde kant op waren gelopen, naar het noorden in plaats van naar het zuiden, en toen midden in het Sneeuwland terecht waren gekomen. En omdat de Alleman christenen waren, net als Isabella de Katholieke, joegen ze nu de joden weg omdat ze niet net zo baden als zij. Maar tante Habiba zei dat dat vast niet de juiste verklaring was, want de Alleman vochten ook tegen de Fransen, en dat waren ook christenen en ze vereerden dezelfde God. Dat was dus het einde van onze theorie. Religie kon de oorlog binnen het christendom niet verklaren.

Ik stond al op het punt Samir voor te stellen de geheimzinnige joodse kwestie maar te laten rusten tot het volgende jaar, als we veel ouder en wijzer zouden zijn, toen nicht Malika met een plausibele maar afschuwelijke verklaring kwam. De oorlog had te maken met de kleur van je haar! De blondharigen vochten met de bruinharigen! Krankzinnig! De Alleman waren in dit geval de blonden, lang en bleek, en de Fransen de bruinen, kleiner en donkerder. De arme joden, die gewoon de verkeerde kant op waren gelopen toen Isabella iedereen uit Spanje verjoeg, zaten tussen twee vuren. Toevallig bevonden ze zich in het oorlogsgebied, en toevallig hadden ze bruin haar. Ze behoorden tot geen van beide kampen!

De machtige Alleman joegen dus op iedereen die donker haar en donkere ogen had. Samir en ik waren verbijsterd. We vroegen het na bij neef Zin, en die zei dat het absoluut waar was. Haj-Hitler – zo heette de koning van de Alleman – had een hekel aan donker haar en donkere ogen en gooide bommen uit vliegtuigen overal waar mensen met donker haar werden aangetroffen. Het hielp ook niet als je in het water sprong, want dan stuurde hij onderzeeërs om je op te vissen. Samir legde zijn handen over zijn sluike, inktzwarte haar als om het te verbergen, keek op naar zijn oudere broer en zei: 'Maar denk je dat de Alleman, als ze de Fransen en de joden verslagen hebben, naar het zuiden zullen komen, en ook hier in Fes?' Zins antwoord was vaag, en hij zei dat er in de kranten niets stond over de plannen van de Alleman op lange termijn.

Die avond smeekte Samir zijn moeder hem te beloven dat ze henna in zijn haar zou doen als we de volgende keer naar de hammam zouden gaan, en ik liep rond met een sjaal van mijn moeder veilig om mijn hoofd gebonden, totdat ze het merkte en me dwong hem af te doen. 'Denk erom dat je nooit je hoofd bedekt!' riep ze, 'heb je dat goed begrepen? Nooit! Ik vecht tegen de sluier, en jij doet er een om – wat zullen we nou krijgen!' Ik legde haar alles uit van de joden en de Alleman, de bommen en de onderzeeërs, maar zij was niet onder de indruk. 'Zelfs als Haj-Hitler, de almachtige koning van de Alleman, achter je aan zit,' zei ze, 'moet je hem tegemoet gaan met onbedekt haar. Het zal je niet helpen als je je hoofd bedekt en je verbergt. Je verbergen lost de problemen die je als vrouw hebt niet op. Het maakt alleen maar duidelijk dat je een gemakkelijk slachtoffer bent. Je grootmoeder en ik hebben genoeg geleden onder die kwestie van de sluier. Wij weten dat het niet werkt. Ik wil dat mijn dochters rechtop staan met opgeheven hoofd, en dat ze op Allahs planeet lopen met hun ogen op de sterren gericht.' En ze griste de sjaal van mijn hoofd en liet mij volkomen weerloos achter, oog in oog met een onzichtbaar leger dat jacht maakte op mensen met donker haar.

12

Asmahan, de zingende prinses

Soms, laat in de middag, zodra de mannen weg waren, snelden de vrouwen naar de radio, openden de kast met hun illegale sleutel, en begonnen als razenden naar muziek en liefdesliederen te zoeken. Sjama was de deskundige, want zij kon de vreemde letters lezen die in goud op het indrukwekkende front van de radio waren aangebracht. Zo leek het tenminste. De mannen draaiden met soepele, precieze gebaren aan de knoppen terwijl ze die mysterieuze tekens ontcijferden, maar hoewel Sjama zichzelf het Franse alfabet geleerd had, wist ze niet wat sw, mw en lw (korte-, midden- en langegolf) betekende. Ze vroeg haar broers Zin en Djawad haar te vertellen waar die letters voor stonden, en toen ze dat weigerden, dreigde ze het hele Franse woordenboek te verslinden. Ze zeiden dat ze dan nog met hetzelfde probleem zou zitten, want dat die letters met Engelse woorden te maken hadden. Toen gaf ze de wetenschappelijke benadering op en ontwikkelde een geheel eigen friemeltechniek, waarbij ze aan een heleboel knoppen tegelijk draaide en genadeloos alle zenders met nieuws, nationalistische toespraken en militaire liederen de nek omdraaide op zoek naar een melodie. Als ze die eenmaal had gevonden, moest er nog meer gefriemeld worden – het duurde eindeloos voordat die grote radio een duidelijk, storingsvrij geluid voortbracht.

Maar als Sjama uiteindelijk succes had en een warme, tedere mannenstem de lucht vulde, bijvoorbeeld die van de Egyptenaar Abdelwahab die *'Ahibbi isj al-hoerriyya'* (Ik hou van het vrije leven) galmde, dan begon de hele binnenplaats te kreunen en te brommen van genot. Nog beter was het als Sjama's magische vingers de verrukkelijke stem van de Libanese prinses Asmahan te pakken kregen, die *'Ahwa! Ana, ana, ana, ahwa!'* (Ik ben verliefd! Ik, ik, ik ben verliefd!) door de ether fluisterde. Dan raakten de vrouwen helemaal in extase. Ze gooiden hun muilen uit en dansten blootsvoets in optocht om de fontein heen, waarbij ze met één hand hun kaftan omhoog hielden en met de andere een denkbeeldige mannelijke partner omhelsden.

Maar helaas, de melodieën van Asmahan waren moeilijk te vinden. Veel vaker hoorden we de nationalistische liederen gezongen door Oem Kalthoem, een Egypische diva die urenlang over het grandioze Arabische verleden kon kwelen en over de noodzaak onze oude glorie te heroveren door tegen de koloniale indringers in opstand te komen.

Wat een verschil tussen Oem Kalthoem, een arm meisje met een gouden stem, die ontdekt was in een obscuur Egyptisch dorpje en door discipline en hard werken zichzelf tot een ster had opgewerkt, en de aristocratische Asmahan, die nooit enige moeite had hoeven doen om roem te behalen! Oem Kalthoem bezat de uitstraling van een buitengewoon doortastende, zelfverzekerde Arabische vrouw die een doel in het leven had en wist wat ze deed, terwijl Asmahan je in verbijstering en twijfel aan jezelf dompelde. Oem Kalthoem, die fors was en weelderig geschapen (in de films die je in de Boedjeloed-bioscoop zag verscheen ze altijd in lange golvende japonnen die haar moederlijke boezem verborgen), hield zich bezig met allerlei juiste en edele dingen – de benarde toestand van de Arabieren en hun pijn in het vernederende heden – en gaf stem aan ons nationalistische verlangen naar onafhankelijkheid. Toch hielden de vrouwen niet zoveel van haar als van Asmahan.

Asmahan was het absolute tegendeel van Oem Kalthoem. Ze was een tengere, lange vrouw die er tegelijk zeer confuus én wanhopig elegant uitzag in haar laag uitgesneden westerse blouses en korte rokken. Asmahan bekommerde zich niet om de Arabische cultuur uit verleden en heden, maar ging volkomen op in haar eigen tragische zoektocht naar geluk. Het kon haar niets schelen wat er op de planeet gebeurde. Het enige dat zij verlangde was zich mooi aankleden, bloemen in haar haar steken, er dromerig uitzien, zingen en dansen in de armen van een liefhebbende man die even romantisch was als zij – een warme, vriendelijke man die de moed had zich van zijn groep los te maken en publiekelijk te dansen met de vrouw die hij liefhad. Arabische vrouwen, gedwongen om alleen te dansen op een afgeschermde binnenplaats, bewonderden Asmahan omdat ze hun dromen waarmaakte over een man die ze tegen zich aan konden drukken in een westerse dans, en met wie ze konden rondzwieren in een stevige omhelzing. Doelloos genieten met een man aan je zijde die daar zelf ook helemaal in opging, dat was waar Asmahan voor stond.

Asmahan had altijd een parelketting om haar lange hals, en ik bedelde altijd bij Sjama of ik de hare een paar minuten om mocht, gewoon om een soort geheimzinnige verbinding tussen mij en mijn idool tot stand te brengen. Op een keer had ik de moed Sjama te vragen of er voor mij enige kans was dat ik net als Asmahan met een Arabische prins zou trouwen, en toen zei zij dat de wereld op weg was naar democratie en dat de weinige beschikbare prinsen vast niet konden dansen: 'Al hun aandacht zal naar de politiek gaan. Zoek maar liever een leraar als je zo wilt dansen als Asmahan.'

Wij kenden het leven van Asmahan allemaal tot in de bijzonderheden, want Sjama voerde het steeds weer op in de toneelstukken die ze op het terras organiseerde. Ze speelde het leven van allerlei heldinnen, maar de romantische prinses was verreweg de populairste. Haar leven was fascinerender dan menig sprookje, al had het een tragisch einde zoals je kon verwachten – een Arabische vrouw kon niet ongestraft sensuele vreugde, frivool amusement en geluk nastreven. Prinses Asmahan was geboren in Libanon, in het Druzengebergte. Op zeer jonge leeftijd was ze getrouwd met haar eigen neef, de rijke prins Hasan. Op haar zeventiende was ze gescheiden en op haar tweeëndertigste kwam ze (in 1944) om bij een geheimzinnig auto-ongeluk waar internationale spionnen mee te maken hadden. Ondertussen was ze zangeres en actrice geweest in Cairo, waar ze meteen een sensatie werd in de hele Arabische wereld. Ze betoverde menigten met een ongekende droom, namelijk die van het persoonlijk geluk en een behaaglijk, genotzuchtig leven, zonder aandacht voor de eisen en de codes van de clan.

Asmahan bracht datgene in praktijk waar ze in geloofde, en wat ze zong. Ze dacht dat een vrouw liefde en een carrière kon combineren en wilde per se naast een volledig huwelijksleven haar talenten als actrice en zangeres ontwikkelen en vertonen. Haar eerste man, prins Hasan, kon dat niet accepteren en liet zich van haar scheiden. Ze probeerde het nog twee keer, en in beide gevallen gaven haar echtgenoten, alle twee magnaten van de Egyptische amusementsindustrie, in het begin toe aan haar wensen. Maar al gauw liepen ook deze huwelijken uit op een afschuwelijke scheiding. Haar laatste man zat haar achterna met een geweer en de hele politiemacht van Cairo achtervolgde hen en probeerde hem tegen te houden. Toen ze op het laatst betrokken was bij het werk van Britse en Franse geheime agenten die de Duitse aanwezigheid in het Midden-Oosten probeerden te blokkeren, werd ze een gemakkelijk doelwit voor moralistische aanvallen, en een weerloos slachtoffer van de explosieve politiek in de regio.

Toen ze naar Libanon was teruggekeerd leek ze een paar jaar lang eindelijk haar eigen plaats te hebben gevonden. Ze zag er prachtig uit, onafhankelijk en gelukkig. In haar privéverblijf in Beiroet en in het King David Hotel in Jeruzalem bood ze gastvrijheid aan belangrijke bijeenkomsten tussen generaal De Gaulle van Frankrijk en de presidenten van Syrië en Libanon. Op haar exquise soirées ontmoetten Arabische nationalisten Europese generaals van de geallieerden, en hoge revolutionairen legden contact met bankiers.

Asmahan had het altijd druk, proefde alles in haast. 'Ik weet dat mijn leven kort zal zijn', zei ze altijd. Ze verdiende geld als water, maar leek nooit voldoende te hebben om haar dure sieraden en kleren en haar grillige reizen te betalen. Ze besloot vaak impulsief om op reis te gaan, een van haar favoriete bezigheden, waarmee ze haar omgeving altijd voor verrassingen stelde. En tijdens een van die spontane reizen, toen ze met een vriendin een paar honderd kilometer van Cairo in een auto reed, werd ze plotseling door de dood overvallen. De auto werd in een meer gevonden. De fans van Asmahan rouwden om haar, terwijl haar vijanden spraken van een samenzwering waarbij spionnen betrokken waren. Sommigen zeiden dat ze vermoord was door de Britse geheime dienst, omdat ze te onafhankelijk begon te opereren. Anderen maakten haar uit voor een slachtoffer van de Duitse geheime dienst. Weer anderen, kwezels die zichzelf een oordeel aanmatigden, feliciteerden zichzelf met haar ontijdige dood en noemden die een rechtvaardige straf voor haar schandelijke leven.

Maar na haar dood werd Asmahan meer dan ooit een legende, omdat ze Arabische vrouwen liet zien dat een bewust genotzuchtig leven, hoe kort en schandalig ook, beter was dan een lang fatsoenlijk leven, gewijd aan een lusteloze traditie. Asmahan betoverde zowel mannen als vrouwen met de gedachte dat bij een avontuurlijk leven mislukking of succes er niet toe deden en dat zo'n leven veel fijner was dan een leven dat je slapend achter beschermende deuren doorbracht. Je kon nooit een lied van haar zingen zonder dat er fragmenten van haar ongelooflijk opwindende, zij het korte en tragische leven in je hoofd opkwamen.

Als Sjama het eerste deel van Asmahans leven uitbeeldde, dan gooide ze een groen tapijt op de vloer van het terras, zodat we ons de bossen van het steile Druzengebergte konden voorstellen waar Asmahan geboren was. Vervolgens trok Sjama een sofa het toneel op dat het bed van de prinses moest voorstellen, en smeerde kohl om haar ogen om de dromerige groene ogen van de prinses te suggereren. Het haar was moeilijker: de heldin had pikzwart haar, dus Sjama was verplicht een roetzwarte tulband over haar verontrustend rode krullen te trekken. Maar aan haar sproeten kon ze niet veel doen, terwijl Asmahan een bijzonder blanke huid had. Veel zorg besteedde Sjama daarentegen aan het opschilderen van Asmahans beroemde schoonheidsvlek aan de linkerkant van haar kin. Zonder die vlek had ze haar niet kunnen spelen. Daarna ging Sjama op de sofa liggen, gekleed in een satijnen qamis, die aan de onderkant met ijzerdraad strak was gespannen om een romantische westerse jurk te suggereren. Met een droevige, sombere blik lag ze dan een poosje zwijgend naar de hemel te staren. Dan begonnen er achter de gordijnen stemmen een weemoedig lied te zingen over wat een absurde tijdverspilling het was om daar maar te liggen terwijl er overal plezier werd gemaakt. De prachtige stemmen waren van Sjama's zusters en andere nichtjes.

Naast Asmahans bed stond een houten paard. Want je

moet weten dat Asmahan al op jeugdige leeftijd was gaan reizen en trekken. Wat zat er anders op voor een uitzonderlijk knappe vrouw uit een koningshuis in een afgelegen Arabisch gebied, waar iedereen zich de kruistochten van lang geleden nog herinnerde, bang was voor bezetting door een vreemde mogendheid en op elke stap lette die je deed? Asmahan reed paard zoals Tamoe in het door oorlog verscheurde Rifgebied; voor haar betekende bevrijding erop uit trekken. Vrij zijn was op pad zijn. Het gaf je een geluksgevoel als je snel reed, ook al had je helemaal geen doel – rijden louter voor je plezier. Dus Sjama stapte uit bed en besteeg het onbeweeglijke paard, terwijl de stemmen achter de gordijnen bleven zingen over hoe deprimerend het was om vast te zitten in een uitzichtloze situatie. Soms duwden Samir of ik het paard een paar keer heen en weer om wat beweging in de scène te brengen, en ondertussen zong het publiek, bestaande uit moeder, mijn volwassen nichten, tante Habiba en alle andere tantes en familieleden die gescheiden of weduwe waren, met het koor mee.

Vervolgens lieten Samir en ik het doek vallen zodat we konden overgaan tot de huwelijksscène. Sjama zag haar publiek niet graag lang wanhopig. 'Ontsnapping uit je sombere gevoelens moet centraal staan,' zei ze. Dan kwam neef Zin op, gekleed in een witte cape. Hij speelde de bruidegom, prins Hasan. Bij het zien van Zins schoonheid viel ik bijna in zwijm en verzaakte ik mijn plichten als inspeciënt. En dan begon het publiek te klagen, want het was de verantwoordelijkheid van de inspeciënten om verfrissingen te laten aanrukken wanneer er een belangrijke gebeurtenis als huwelijk of geboorte plaatsvond. Samir en ik moesten voor de koekjes zorgen. Op een bepaald moment eiste het publiek ook thee bij de koekjes en dreigde het met een staking als Sjama die niet liet komen. Maar er braken zoveel glazen dat grootmoeder Lalla Mani tussenbeide kwam en zei dat we nooit meer thee mochten serveren. 'Om te beginnen is toneel een zondige activiteit,' zei ze. 'De Koran spreekt er niet over, en niemand heeft er in Mekka of Medina ooit van gehoord. Goed, als luchthartige vrouwen zich toch per se willen uitleven in toneel, het zij zo. Op de Dag des Oordeels zal Allah iedereen laten boeten voor zijn zonden. Maar om de theeglazen van mijn zoon te breken alleen maar omdat Asmahan, die schandelijke luiwammes, in het huwelijk treedt, dat is je reinste roekeloosheid.' Daarna moesten de toneelbruiloften heel ascetisch gevierd worden, dus we deelden kleine koekjes uit, dikwijls door tante Habiba op het laatste moment gebakken. Je moest het publiek goed behandelen als je wilde dat ze bleven zitten.

Maar terug naar het stuk. Je had je koekjes nog niet eens op als prins Hasan Asmahan wegstuurde en Sjama op het toneel verscheen met doodsbleek gepoederde wangen. Ze droeg een grote koffer en was op weg naar Cairo. Het koor zong over scheiding, pijnlijk verlies en ballingschap, terwijl tante Habiba tegen moeder fluisterde: 'Asmahan was pas zeventien toen ze scheidde. Wat jammer! Maar ja, het was haar enige kans om uit dat verstikkende Druzengebergte te komen. Als je er goed over nadenkt is echtscheiding altijd een soort vooruitgang. Het dwingt je tot avontuur.'

Wat het allemaal bijzonder interessant maakte was dat prins Hasan zijn vrouw verstootte omdat ze wilde dat hij haar mee uit dansen en naar het cabaret nam! Niet alleen droeg ze laag uitgesneden westerse jurken, hoge hakken en kort haar, maar ze wilde ook naar danszalen, waar mensen op stijve westerse stoelen om hoge tafels zaten en onzin praatten of dansten tot het ochtendgloren. Tijdens deze scène liep Sjama naar de voorkant van het toneel, bleek en bevend, haar ogen half dicht. 'Asmahan wilde naar chique restaurants, dansen zoals de Fransen, en haar prins in haar armen houden,' zei ze dan. 'Ze wilde de hele nacht met hem walsen in plaats van opzij achter de gordijnen te staan en toe te kijken hoe hij eindeloos met louter mannen zat te vergaderen. Ze haatte de hele clan met zijn zinloze, wrede wetten. Het enige dat ze wenste was wegdrijven in geluksmomenten als zeepbellen, en in zinnelijke verrukking. Deze vrouw was geen misdadigster, ze had geen kwaad in de zin.'

Op dit punt onderbrak tante Habiba de voorstelling. 'Van zulke dingen heb ik nooit gedroomd,' zong ze, een melodie van Asmahan imiterend, 'en toch ben ook ik gescheiden. Dus denk erom dames, beperk jezelf niet. Een Arabische vrouw die de maan niet gaat zoeken is volkomen gek.'

'Stilte!' riep iedereen dan, en Sjama ging door met haar uitbeelding van Asmahans zinnelijke zoektocht naar romantiek in een maatschappij waar de sluier de meest elementaire opwellingen van vrouwen verstikte. Als ik Sjama zag acteren zwoer ik bij mezelf dat ik, als ik volwassen was en even groot als zij, beslist aan het theater wilde. Ik zou Arabische menigten versteld doen staan en ze, terwijl ze keurig in rijen zaten en naar mij opkeken, vertellen hoe het voelde om een vrouw te zijn die met dromen bedwelmd is in een land dat zowel de dromen als de droomster verbrijzelt. Ik zou ze laten huilen om verspilde kansen, zinloze gevangenschappen, verpletterde visioenen. En dan, als ze eenmaal op dezelfde golflengte zaten als ik, dan zou ik net als Asmahan en Sjama zingen over het wonder van de zelfontplooiing en het opwindende van avontuurlijke sprongen in het onbekende.

O ja, ik zou ze vertellen van het onmogelijke, van een nieuwe Arabische wereld, waarin mannen en vrouwen elkaar konden omhelzen en weg konden dansen, zonder grenzen tussen hen in, en zonder angst.

O ja, ik zou mijn publiek betoveren en met magische woorden en weloverwogen gebaren, net zoals Asmahan en Sjama dat vóór mij gedaan hadden, een nieuwe, onbewolkte planeet scheppen waar de huizen geen poorten hebben en waarin de ramen wijd open staan naar veilige straten.

Ik zou ze helpen te wandelen in een wereld waar het verschil geen sluier nodig heeft, en waar het lichaam van vrouwen op een natuurlijke manier beweegt en waar hun verlangens geen angst wekken.

Ik zou voor en met het publiek lange gedichten maken over de afwezigheid van angst. Vertrouwen zou het nieuwe spel zijn dat we konden gaan verkennen, en ik zou nederig bekennen dat ik er zelf ook niets van wist.

In mijn theater zou ik genoeg geld verdienen om het publiek thee en koekjes aan te bieden, zodat de mensen urenlang ontspannen konden blijven zitten terwijl ze zich vertrouwd maakten met het nieuwe idee van een planeet waar de mensen zonder angst rondlopen.

Gewoon rondlopen zonder de verkillende behoefte aan sluiers en grenzen te voelen.

Gewoon rondlopen, de ene voet voor de andere zetten, de ogen gevestigd op een nieuwe, nauwelijks voorstelbare horizon van niet bedreigende vreemdheid.

Ik zou iedereen ervan overtuigen dat geluk overal kan bloeien, zelfs in de donkere stegen van de aangevallen medina.

Asmahan, ik zou haar weer oproepen. Zij zou kunnen bestaan, en niet alleen als tragisch slachtoffer. Asmahan zou kunnen gedijen, en hoefde niet op haar tweeëndertigste te sterven in duistere buitenlandse intriges en zinloze auto-ongelukken.

Ik heb vele tranen om Asmahans tragische leven geplengd op die toneelmiddagen op dat verre terras. Ik assisteerde Sjama bij haar kortdurende Libanese avonturen, terwijl ik tegelijkertijd een oog hield op de sterren die boven mijn hoofd verschoten. Toneel, dat uitbeelden van dromen en het prijsgeven van werkelijkheid aan fantasie, was zo essentieel. Ik vroeg me af waarom het niet tot een heilige instelling werd uitgeroepen.

13
De harem gaat naar de film

Hoewel er vaak op amusement werd neergekeken, was het in ons huis erg populair. Zodra de vrouwen klaar waren met hun huishoudelijke taken, gingen ze snel informeren waar tante Habiba haar verhalen vertelde, of waar Sjama haar stukken speelde. Amusement bloeide op afgelegen plekken, op bovenverdiepingen en terrassen. Iedereen werd geacht haar *glissa* (kussen) mee te nemen om op te zitten, en probeerde een goede plaats vooraan te krijgen op het tapijt dat de ruimte voor het publiek aangaf. Maar velen hielden zich niet aan die regel en brachten krukjes mee. Zij moesten achterin plaats nemen.

Gemakkelijk op mijn kussen gezeten, met gekruiste benen, reisde ik de hele wereld door, voer ik van het ene eiland naar het andere op boten die schipbreuk leden en dan op een wonderbaarlijke manier weer vlot werden getrokken door een rijke prinses. Als de spanning opliep, nam ik mijn kussen op mijn schoot en wiegde geboeid heen en weer op de vreemde woorden die door Sjama en tante Habiba, de hogepriesteressen van de verbeelding, over het publiek werden uitgestort. Tante Habiba was ervan overtuigd dat ieder van ons magie in zich had, geweven in onze dromen. 'Als je machteloos zit opgesloten achter muren, ingeklemd in een harem zonder uitgangen,' zei ze altijd, 'dan droom je van ontsnapping. En magie bloeit als je die droom uitwerkt en de grenzen doet verdwijnen. Dromen kunnen je leven veranderen, en uiteindelijk ook de wereld. Bevrijding begint met beelden die in je kleine hoofdje dansen, en die beelden kun je vertalen in woorden. En woorden kosten niets!' Steeds weer hamerde ze op die magie die je in je had, en ze zei dat het je eigen schuld was als je niet probeerde die naar buiten te brengen. Ik kon ook grenzen laten verdwijnen, dat was de boodschap die ik kreeg terwijl ik daar op dat terras op mijn kussen zat. Het leek allemaal zo natuurlijk als ik daar boven heen en weer zat te schommelen en zo nu en dan mijn hoofd achterover gooide om het licht van de sterren op mijn gezicht te voelen schijnen. Theaters moesten eigenlijk altijd hoog liggen, op witgesausde terrassen, dicht bij de hemel. Op die zomeravonden in Fes smolten verre melkwegen samen met ons theater en er waren geen grenzen aan de hoop.

O ja, tante Habiba, dacht ik, ik word een tovenares.
Ik zal uit dit streng vastgelegde leven breken dat op me ligt te wachten in de smalle straten van de medina, mijn ogen gevestigd op de droom.
Ik zal door mijn adolescentie zweven met de ontsnapping tegen mijn borst gedrukt, zoals Europese meisjes hun danspartner tegen de hunne gedrukt houden.
Woorden zal ik koesteren.
Ik zal ze zo goed verzorgen dat ze de nachten verlichten,
Muren vernietigen
En poorten doen verdwijnen.
Het lijkt allemaal gemakkelijk, tante Habiba, als jij en Sjama het fragiele lappentheater in en uit gaan,
Zo fragiel op de late avond, op dat verre terras.
Maar zo vitaal, zo voedend, zo fantastisch.
Ik word een tovenares.
Ik zal woorden beitelen om de droom door te geven en de grenzen overbodig te maken.

Overdag wachtten Sjama en tante Habiba geduldig op de avond, wanneer ze de fantasie konden oproepen en dromen konden wekken, terwijl de slaap de minder nieuwsgierigen onder ons velde.

Veel vrouwen van de huishouding leefden voor deze avonden, maar de jonge mannen op wie soms een beroep werd gedaan voor een rol in onze toneelstukken, reageerden nooit met meer dan matig enthousiasme. Zij gaven niet zoveel om verhalen vertellen en toneel want zij hadden, anders dan de vrouwen, onbeperkt toegang tot onze buurtbioscoop, die naast de hammam stond.

Je wist dat de jonge mannen naar de film gingen als je Zin en Djawad hun rode vlinderdas om zag doen. Vaak liep Sjama achter haar broers aan en smeekte hen haar mee te nemen. Met tegenzin verklaarden zij dat ze daar noch van haar eigen vader noch van de mijne toestemming voor hadden gekregen. Maar Sjama bleef het proberen, trok haastig haar djellaba aan, sluierde haar gezicht met een zwarte chiffonsjaal en rende achter hen aan naar de deur. Ahmed de portier stond op zodra hij haar zag. 'Sjama,' zei hij dan, 'dwing me alsjeblieft niet vandaag weer op straat achter je aan te hollen. Ik heb geen instructies gekregen om vrouwen naar buiten te laten.' Maar Sjama liep gewoon door alsof ze hem niet hoorde, en soms lukte het haar om naar buiten te glippen, zo snel was ze. Dan stroomden alle vrouwen van de binnenplaats samen in de gang, om te kijken wat er nu zou gaan gebeuren. Een paar minuten later zag je dan Ahmed luid hijgend en puffend met Sjama aankomen. Hij duwde haar weer naar binnen en herhaalde onwrikbaar: 'Er is mij niets van bekend dat er vrouwen naar de film zouden gaan, dus alsjeblieft, breng me niet in moeilijkheden, dwing me niet om op mijn leeftijd nog te gaan rennen.'

Moeder was altijd geschokt wanneer Sjama na een mis-

lukte ontsnappingspoging als een misdadigster werd terug-
gebracht. 'Wacht maar af, Ahmed,' voorspelde ze, 'het zal
niet lang meer duren of jij raakt je baantje kwijt omdat
vrouwen dan vrij zijn om overal op de wereld rond te lopen.'
Dan sloeg ze haar arm om Sjama heen en liep door de gang
terug naar de binnenplaats, terwijl alle andere vrouwen hen
volgden en mompelden over opstand en straf. Sjama zweeg,
er rolden dikke tranen over haar wangen, en na een poosje
zei ze verslagen tegen moeder: 'Ik ben zeventien en ik mag
niet naar de film omdat ik een vrouw ben! Dat is toch niet
rechtvaardig? Wie verliest er in deze Arabische wereld nou
iets als meisjes en jongens gelijk worden behandeld?'

Alleen wanneer de film een grote topper was, en de hele
bevolking van Fes uitrukte om hem te zien, mochten de
Mernissi-vrouwen er ook heen. Dat was het geval bij alle
films van Asmahan, en ook bij de film *Dananir*, over de zin-
gende djariya die kalief Haroen al-Rasjid zo betoverde met
haar stem en haar geestigheid dat hij al zijn andere duizend
djariya's vergat. Dananir werd gespeeld door Oem Kalthoem en tot leven gebracht door haar ongelooflijke stem.

Dananir was gebaseerd op een historische gebeurtenis.
Kalief Haroen ontmoette op een *samar*-avond een mooie
slavin die Dananir heette. Samar was een avond waarop de
kalief niet kon slapen, en tot rust probeerde te komen door
naar poëzie en muziek te luisteren, voor of na belangrijke
gebeurtenissen als een veldslag, een gevaarlijke reis of moeilijke onderhandelingen. De meest getalenteerde kunste-
naars werden op het paleis ontboden, en omdat in deze zaken vrouwen met mannen mochten wedijveren, stelden de
djariya's van Bagdad hun mannelijke leraren al gauw in de
schaduw, en samar werd een vrouwenzaak. Het was het tegendeel van een slagveld.

Kalief Haroen had grote behoefte aan ontspanning, omdat hij het grootste deel van zijn tijd doorbracht met vechten. Onder zijn regering strekte het moslimrijk zich uit tot China. Maar wat Dananir betreft had kalief Haroen een probleem. Zij was het bezit van zijn eigen vizier, de hoogste functionaris aan het hof, Jahja ibn Chalid al-Barmaki.[18] En de vizier hield van Dananir. Daarom moest de kalief zijn gevoelens voor Dananir verborgen houden, en ging hij regelmatig bij de vizier op bezoek in de hoop Dananirs stem weer te horen. Hij kon niet openlijk uitkomen voor de liefde die ze in hem opwekte, maar het duurde niet lang of heel Bagdad kende zijn geheim, en bijna elfhonderd jaar later stroomde de stad Fes nog steeds naar de bioscopen om getuige te zijn van zijn onmogelijke liefde, zoals die verfilmd was door de Egyptische studio's.

Ook wij kinderen mochten niet vaak naar de film, maar wij zetten onze eigen revoltes op touw, net zoals de vrouwen, en soms kregen we dan uiteindelijk toch toestemming. Als ik 'wij' zeg, bedoel ik eigenlijk Samir, want ik kon niet zo goed schreeuwen tegen volwassenen en op en neer springen van ergernis zoals hij dat kon, of nog beter, over de vloer rollen en omstanders schoppen. Ongehoorzaam zijn was iets riskants, en dat is het voor mij altijd gebleven, al was het alleen maar door moeders vreemde houding. Vaak moedigde ze mij aan opstandig te zijn, en herhaalde steeds weer dat het niet goed was om Samir agressief voor twee te laten zijn. Maar als ik mezelf dan op de grond gooide en tegen haar begon te krijsen, moest ik daar onmiddellijk mee ophouden. 'Ik heb niet gezegd dat je tegen *mij* in opstand moest komen! Tegen alle anderen mag je je verzetten, maar je moeder heb je te gehoorzamen, anders krijgen we chaos. En in elk geval moet je je niet op zo'n stomme manier verzetten. Je moet de situatie zorgvuldig bekijken en alles analyseren. Verzet je alleen als je weet dat je een kans maakt te winnen.' Daarna stak ik veel energie in het analyseren van mijn kansen als duidelijk werd dat mensen misbruik van mij maakten, maar zelfs nu, een halve eeuw later, zijn de antwoorden waarmee ik op de proppen kom nog altijd niet overtuigend. Ik droom nog steeds van die heerlijke dag waarop ik een theatrale opstand in de stijl van Samir zal uitvoeren, met veel geschreeuw en geschop. Als ik terugkijk ben ik dankbaar dat Samir destijds het juiste heeft gedaan. Anders had ik de bioscoop nooit van binnen gezien.

En naar de bioscoop gaan was iets geweldigs, van het begin tot het eind. Vrouwen kleedden zich alsof ze ongesluierd op straat gingen paraderen. Moeder was uren en uren bezig met haar make-up en met haar haren, waar ze op een ongelooflijk ingewikkelde manier krullen in maakte. Elders op de binnenplaats, in alle vier de hoeken, waren ook de andere vrouwen koortsachtig hun toilet aan het maken, waarbij kinderen de spiegel vasthielden en vriendinnen adviezen gaven over kohl, rouge, kapsel en sieraden. De kinderen moesten de handspiegels vasthouden en ze zo draaien dat de zonnestralen erop vielen, want de spiegels aan de muren van de salon waren nutteloos. Daar viel het zonlicht bijna nooit op, behalve een paar uur in de zomer.

Maar ten slotte waren de vrouwen prachtig aangekleed. En vervolgens gingen ze zichzelf van top tot teen bedekken met sluier en *haik*, of djellaba, afhankelijk van leeftijd en status!

Enkele jaren daarvoor had moeder eerst ruzie met vader gemaakt over het materiaal van de sluier, en daarna over de haik, de traditionele lange mantel die vrouwen in het openbaar droegen.

De traditionele sluier was een rechthoekige lap witte katoen, zo zwaar dat simpel ademhalen al een heel karwei was. Moeder wilde in plaats daarvan een kleine driehoekige zwarte sluier van zijdechiffon. Vader was daar woedend om: 'Dat is veel te doorzichtig! Dan kun je net zo goed zonder sluier gaan!' Maar al gauw kwam de kleine sluier, de *litham*, in de mode, en de echtgenotes van alle nationalisten in Fes droegen hem – naar bijeenkomsten in de moskee en naar openbare feesten, bijvoorbeeld als de Fransen politieke gevangenen vrijlieten.

Moeder wilde ook de traditionele vrouwenhaik vervangen door de mannendjellaba, waarop de vrouwen van veel nationalisten ook al waren overgegaan. De haik was gemaakt van zeven lange meters zware witte katoen die je om je heen moest draperen. De uiteinden, die onhandig onder je kin waren vastgebonden, moest je dan vasthouden zodat het geheel niet afzakte. 'De haik,' zei Sjama, 'is waarschijnlijk ontworpen om te zorgen dat vrouwen het zo'n kwelling vinden om op straat te lopen dat ze er al gauw van afzien en teruggaan naar huis, en het niet in hun hoofd halen nog eens naar buiten te gaan.' Moeder had ook een hekel aan de haik. 'Als je uitglijdt en valt,' zei ze, 'breek je al je tanden, omdat je je handen niet vrij hebt. Bovendien is hij zo zwaar en ik ben zo mager!' De djellaba daarentegen was een strak mannengewaad met een capuchon, splitten opzij zodat je grote stappen kon nemen, en korte mouwen die je handen volkomen vrij lieten. Toen de nationalisten ertoe overgingen hun dochters naar school te sturen, lieten ze hen ook een djellaba dragen, omdat die zoveel lichter en praktischer was dan de haik. Heen en weer naar school lopen, vier keer per dag, was iets heel anders dan eenmaal per jaar de graftombe van een heilige bezoeken. De dochters gingen dus de mannendjellaba dragen, en al gauw volgden ook hun moeders. Om moeder ervan te weerhouden gaf vader regelmatig commentaar op de revolutie waarvan hij getuige was in de straten van de medina. 'Het doet denken aan de Franse vrouwen die hun rok inruilen voor de mannenbroek,' zei hij. 'En als vrouwen zich gaan kleden zoals mannen, is dat meer dan chaos, het is *fana* (het einde van de wereld).'

Langzaam maar zeker sloop de chaos van de straten echter ook ons huis binnen, en wonder boven wonder bleef de planeet toch draaien. Op een dag verscheen moeder met vaders djellaba aan, de capuchon netjes op haar voorhoofd gevouwen, en een kleine zwarte litham van enkel zijdechiffon los over haar neus. Natuurlijk kon iedereen dwars door die sluier heen kijken, en vader waarschuwde haar kwaad dat ze de familie-eer te grabbel gooide. Maar de familie-eer liep kennelijk in heel Fes opeens ernstig gevaar, want de straten van de medina werden overstroomd door vrouwen met een mannendjellaba en een kleine kokette chiffonsluier. Niet lang daarna begonnen de dochters van de nationalisten zich ook op straat te vertonen met onbedekt gezicht en blote benen, in een westerse jurk, de onmiskenbaar westerse handtas over hun schouder. Natuurlijk hoefde moeder niet te piekeren over een westerse jurk, zo conservatief was haar naaste omgeving, maar het lukte haar om haar djellaba en haar litham van enkel chiffon te houden. Later, in 1956, deed ze, zodra ze had gehoord dat Marokko onafhankelijk was geworden en de Franse legers de aftocht bliezen, mee aan de mars die georganiseerd werd door de vrouwen van de nationalisten, en tot laat in de avond liep ze met hen te zingen. Toen ze ten slotte uitgeput van het lopen en zingen thuis kwam, was haar haar onbedekt en haar gezicht bloot. Van toen af was er in de medina van Fes geen jonge vrouw met een zwarte litham meer te zien, alleen oude dames en pas geïmmigreerde boerenvrouwen bleven de sluier dragen.[19]

Maar terug naar de film. Op die zeldzame feestdagen verliet de vrouwenoptocht het huis vroeg in de middag, mijn neven voorop, als om een menigte te weerhouden zich om de Mernissi-schoonheden te verdringen en een glimp van hen op te vangen. Vlak achter de mannen kwam grootmoeder Lalla Mani met haar haik majesteitelijk om haar smalle silhouet gedrapeerd en haar hoofd hooghartig geheven, alsof ze zelfs aan anonieme voorbijgangers duidelijk wilde maken dat ze een vrouw van gezag was. Lalla Radia, Samirs moeder, liep naast grootmoeder met afgemeten stapjes, haar ogen op het plaveisel gericht. Achter hen kwamen tante Habiba en alle gescheiden vrouwen en weduwen van de familie, allemaal in absolute stilte en hun witte haik stevig vasthoudend. Anders dan moeder konden deze vrouwen, die geen man hadden om hen te beschermen, geen aanspraak maken op het recht een djellaba te dragen – het zou hen onherroepelijk tot lichtzinnige vrouwen hebben bestempeld. In de laatste rijen van de optocht kwamen dan de rebellen in hun strakke, kleurige djellaba, gevolgd door de verlegen halfvolwassen neven, die de hele weg naar de bioscoop zenuwachtig liepen te giechelen, en ten slotte wij kinderen, aan de hand van Ahmed.

De afdeling rebellen telde niet echt veel vrouwen, alleen moeder en Sjama, maar zij slaagden erin ieders aandacht te trekken. Moeder met de kohl om haar ogen, en Sjama met haar valse schoonheidsvlek à la Asmahan, waren weliswaar gesluierd, in die zin dat ze de doorzichtige kleine zwarte litham droegen, maar hun handen waren vrij, en sensuele geuren zweefden provocerend om hen heen. Vaak maakte moeder iedereen aan het lachen door Leila Moerad te imiteren, de Egyptische filmster die zich gespecialiseerd had in het spelen van de femme fatale. Ze liep met haar blik recht vooruit (op gevaar af over de scherpe stenen te struikelen waarmee de straten van de medina geplaveid waren), haar ogen wijd opengesperd alsof ze een gevaarlijke ooginfectie had, en dan liet ze haar blik naar links en naar rechts gaan, waarbij ze dodelijke magnetische stralen afvuurde, en fluisterde op een samenzweerderstoon: 'Geen man kan mijn ontzagwekkende schoonheid weerstaan! Eén ogenblik van oogcontact, en het onschuldige slachtoffer valt kronkelend op de grond. Vandaag wordt er gemoord in de straten van Fes!'

Moeder was op die gedachte gekomen nadat ze gehoord had van de theorieën van een Egyptische feministische schrijver, Qasim Amin. Hij was de auteur van een bestseller met de provocerende titel *De bevrijding van vrouwen* (1899), waarin hij de hypothese verkondigde dat mannen vrouwen een sluier lieten dragen omdat ze bang waren voor hun charme en schoonheid. Mannen konden vrouwen niet weerstaan, schreef hij, en voelden zich zwak als er een mooie vrouw langszweefde. Qasim Amin drong er aan het eind van zijn boek bij de Arabische mannen op aan, hun eigen kracht te ontwikkelen en hun angst te overwinnen, zodat vrouwen hun sluier konden afleggen. Moeder was dol op Qasim Amin, maar omdat ze ongeletterd was, moest ze vader vragen haar haar favoriete passages voor te lezen. Voordat hij toegaf deed vader haar allerlei verzoeken, die ze eerst weigerde – zijn hand vasthouden terwijl hij voorlas, zijn geliefde drankje maken (een milkshake met versgehakte amandelen en een druppel oranjebloesemextract) of, nog erger, hem een voetmassage geven. Maar uiteindelijk voldeed moeder met tegenzin aan zijn verlangen, om hem aan het voorlezen te krijgen. En als ze er dan juist van begon te genieten, stopte vader plotseling, smeet het boek weg en klaagde dat Qasim Amin een aanslag deed op de harmonie van het Arabische huwelijk. 'Heb ik de hulp van deze Egyptische fat nodig om nader tot mijn vrouw te komen, of om te maken dat ze lief voor me is?' schreeuwde hij dan. 'Ongelooflijk!' Dan raapte moeder snel het boek weer op, deed het terug in zijn leren omslag en verliet het vertrek, boos maar zeker van zichzelf, met haar schat onder haar arm.

Sjama, met haar sproeten en haar honingkleurige ogen, lachte verzaligd als moeder haar femme-fatale-act opvoerde tijdens hun wandeling naar de bioscoop. Ze keken beiden scherp naar links en naar rechts om te zien of er voorbijgangers bezig waren ter aarde te storten. En natuurlijk leverden de vrouwen ook commentaar op de mannen die ze passeerden, een reden waarom neef Zin en zijn broers zich van tijd tot tijd omdraaiden om hen te vragen niet zo hard te praten.

Eenmaal in de bioscoop nam de hele harem twee rijen in beslag. Ze hadden kaartjes voor vier rijen, zodat de rijen voor en achter hen onbezet bleven. Want je zou toch niet willen dat een of andere ondeugende, oneerbiedige bioscoopganger misbruik maakte van de duisternis en een van de dames kneep terwijl ze geheel opging in de intrige van de film?

wide
bed
gebo
bedro
kon
bei i
meur

14
Egyptische feministes op bezoek

Voor veel stukken die Sjama op het terras opvoerde waren mannelijke acteurs nodig, en alle jonge mannen van het huis deden mee als er geen concurrentie van de buurtbioscoop was. Zin was natuurlijk veelgevraagd vanwege zijn gratie en zijn welsprekendheid. En hij genoot ervan de tulbanden en capes van oom en vader te stelen en allerlei houten zwaarden in elkaar te knutselen zodat hij overtuigend Abbasidische prinsen kon neerzetten. Hij speelde ook talloze andere rollen, van voor-islamitische dichters tot moderne nationalistische helden die in Franse en Britse gevangenissen zuchtten. Maar de stukken die het publiek het meest in vervoering brachten waren die met grote massascènes, veel marcheren en zingen, omdat iedereen dan mee kon doen. Van die scènes werd Sjama wel eens dol, omdat er dan soms helemaal geen publiek meer over was. 'Er moeten toch ook mensen zijn om naar het stuk te kijken!' riep ze dan. 'Wat is nou toneel zonder publiek!' Het probleem met Sjama was dat ze het slachtoffer van onvoorspelbare stemmingen was en zonder enige waarschuwing van borrelende opwinding in diep stilzwijgen kon vervallen. Ze raakte ook heel gauw ontmoedigd als het publiek zich niet fatsoenlijk gedroeg, en dan stopte ze gewoon midden in een zin, keek bedroefd naar de boosdoeners en liep naar de trap. Daar kon je niet veel aan doen, en soms bleef ze dagenlang somber in haar kamer zitten. Maar als Sjama in een goed humeur was, kon ze het hele huis aansteken!

Sjama's theater gaf ons namelijk allemaal een prachtige kans om onze talenten te ontdekken en te vertonen, onze verlegenheid te overwinnen en wat zelfvertrouwen te ontwikkelen. Mijn normaliter erg verlegen tienernichtjes bijvoorbeeld kregen hun kans om te schitteren als ze in het koor zongen. Ze vonden het afschuwelijk als de gordijnen omhoog waren – dan groetten ze het publiek terwijl ze zenuwachtig aan hun vlechten friemelden – maar als de gordijnen waren neergelaten schalden hun stemmen helder en erg mooi. Ik op mijn beurt werd volkomen onmisbaar voor Sjama toen ze ontdekte dat ik acrobatische sprongen kon maken (dat had ik van grootmoeder Jasmina geleerd). Van toen af moest ik met mijn acrobatiek altijd het publiek vermaken als er iets uit de hand liep. Zodra ik voelde dat er iets mis ging tussen de regisseuse of de acteurs en het publiek, sprong ik het toneel op met mijn benen in de lucht en mijn handen op de grond. Ik leerde intuïtief aanvoelen wanneer Sjama op het punt stond een droevige bui te krijgen. Mijn kunsten gaven de acteurs ook de tijd zich tussen de scènes in langdurig te verkleden. Zonder mijn hulp had Sjama haar uitgebreide voorbereidingen moeten beperken.

Ik was erg trots dat ik ook een rol had, ook al was die zwijgend en marginaal en had ik er bijna alleen mijn voeten voor nodig. Maar tante Habiba zei dat het er niet toe deed welke rol je speelde, als je maar nuttig was. Het belangrijkste was dat je een rol had, dat je bijdroeg aan een gemeenschappelijk doel. Bovendien, zei ze, zou ik weldra een grotere rol moeten spelen in het echte leven; daar hoefde ik alleen maar een talent voor te ontwikkelen. Ik zei tegen haar dat dat talent waarschijnlijk acrobatiek zou zijn, maar dat overtuigde haar niet. 'Het echte leven is harder dan het toneel,' zei ze. 'Bovendien, onze traditie wil dat vrouwen op hun voeten lopen. Het is nogal hachelijk om ze in de lucht te gooien.' Op dat moment begon ik mij zorgen te maken over mijn toe-komst.

Maar tante Habiba zei dat ik me geen zorgen moest ma-ken, dat er in iedereen schitterende dingen verborgen zaten. Het enige verschil was dat sommigen met anderen die schit-terende dingen wisten te delen en anderen niet. Degenen die hun kostbare talenten niet verkenden en met anderen deel-den, gingen met een ongelukkig gevoel door het leven, droe-vig en onhandig met anderen, en kwaad ook. Je moest een talent ontwikkelen, zei tante Habiba, zodat je iets te bieden had, iets met anderen kon delen en kon schitteren. En je ontwikkelde een talent door erg hard te werken en ergens goed in te worden. Het kon alles zijn, zingen, dansen, koken, borduren, luisteren, kijken, glimlachen, wachten, aanvaar-den, dromen, rebelleren, springen. 'Alles wat je goed kunt, kan je leven veranderen,' zei tante Habiba.

Daarom besloot ik een talent te ontwikkelen en geluk te schenken aan degenen om mij heen. Dan kon toch niemand mij kwaad doen? Het enige probleem was dat ik nog niet wist wat mijn talent was. Maar ik wist zeker dat ik iets in me had. Allah is gul en geeft al zijn schepselen iets moois dat hij diep in je wegstopt als een geheimzinnige bloem, zonder dat je het zelf weet. Ook ik had waarschijnlijk mijn deel wel ge-kregen, en ik hoefde alleen maar te wachten en het te ont-wikkelen als de tijd rijp was. Ondertussen zou ik leren wat ik kon van de heldinnen uit literatuur en geschiedenis.

De heldinnen die in Sjama's theater het meest werden ge-portretteerd waren, in volgorde van frequentie: de actrice en zangeres Asmahan, de Egyptische en Libanese feministes, Sjeherazade en de prinsessen uit *Duizend-en-één-nacht* en ten slotte belangrijke religieuze figuren. Onder de feminis-tes of *raidát* (pioniers op het gebied van de vrouwenrech-ten) waren er drie voor wie Sjama een speciale voorkeur had: Aisja Tajmoer, Zajnab Al-Fawwaz en Hoeda Sjaraawi.[20] Van de religieuze figuren waren Chadidja en Aisja, de vrouwen van de profeet Mohammed, en Rabia al-Adawija, een mystica, de populairste. Hun levens werden meestal opgevoerd tijdens Ramadan, als grootmoeder Lalla Mani helemaal in het groen gekleed was, de kleur van de Profeet, God zegene hem en schenke hem vrede!, en in diepe mystieke meditatie ging. Daarna riep ze altijd op tot berouw over je zonden, en voorspelde ze de hel aan iedereen die Allahs geboden vergat in het algemeen, en aan vrouwen die zich ontdeden van de sluier en dansten, zongen en plezier maakten in het bijzonder.

Marokkaanse vrouwen, die snakten naar bevrijding en verandering, moesten hun feministes uit het oosten halen, want die in eigen land waren niet beroemd genoeg om openbare figuren te worden en hun dromen te voeden. 'Geen wonder dat Marokko zo achterloopt,' merkte Sjama wel eens op. 'Ingeklemd tussen de stilte van de Sahara in het zuiden, de woeste golven van de Atlantische Oceaan in het westen, en de christelijke agressie uit het noorden, zijn de Marokkanen altijd in de verdediging, terwijl de andere moslimlanden de moderne tijd zijn binnengevaren. Overal hebben vrouwen vooruitgang geboekt behalve hier. Wij zijn een museum. We moesten de toeristen laten betalen bij de poorten van Tanger!'

Het probleem met sommigen van Sjama's favoriete feministes, vooral de vroege, was dat ze behalve schrijven niet veel gedaan hadden, omdat ze in harems opgesloten zaten. Dat betekende dat er niet veel actie te vertonen viel en dat we alleen maar moesten zitten luisteren naar Sjama die hun protesten en klachten voordroeg in een monoloog. Het leven van Aisja Tajmoer was het ergste. Zij was in 1840 in Cairo geboren, en het enige dat ze non stop deed tot aan haar dood in 1906 was felle gedichten tegen de sluier schrijven. Ze schreef echter in veel talen – Arabisch, Turks en zelfs Perzisch – en dat maakte indruk op mij. Een vrouw die gevangen wordt gehouden in een harem en vreemde talen spreekt! Als je een vreemde taal spreekt is het alsof je een raam in een blinde muur open zet. Als je een vreemde taal spreekt in een harem is het alsof je vleugels schept waarmee je naar een andere cultuur kunt vliegen ook al is de grens er nog steeds, en ook de portier. Als Sjama ons wilde laten weten dat Aisja Tajmoer haar gedichten in het Turks of Perzisch voorlas, talen die niemand in de medina van Fes ooit had gehoord of kon begrijpen, dan gooide ze haar hoofd achterover, vestigde haar ogen op het plafond of de hemel, en begon onbegrijpelijke keelklanken uit te stoten op het ritme van de Arabische poëzie. Moeder werd daar ongeduldig van. 'Nu weten we het wel kind, het is bijzonder indrukwekkend dat Aisja Turks kent,' zei ze dan, 'maar schakel nu weer over op het Arabisch, anders loopt je hele publiek weg.' Dan zweeg Sjama abrupt, keek erg beledigd, en vroeg moeder zich onmiddellijk te verontschuldigen. 'Ik ben met subtiele magie bezig,' zei ze, 'als jij blijft schreeuwen vernietig je de droom.' Dan stond moeder op, boog haar hoofd en haar hele bovenlichaam, kwam weer omhoog en zwoer dat ze nooit meer een misplaatst woord zou zeggen. Gedurende de rest van het stuk zat ze er dan roerloos bij, een zichtbaar goedkeurende glimlach op haar gezicht.

De andere feministische pionier die Sjama erg bewonderde en met wie we moesten leven was Zajnab Al-Fawwaz, een erudiete Libanese vrouw, autodidacte. Ze werd geboren in 1850 en klom van onaanzienlijk dorpsdienstmeisje op tot een beroemde literaire figuur in de intellectuele kringen van Beiroet en Cairo, door een combinatie van strategisch geplande huwelijken en gedisciplineerde inspanning om haar niveau te verbeteren. Maar Zajnab had nooit een stap buiten haar harem gezet, en daarom was het vreselijk moeilijk om haar beknotte leven in een toneelstuk om te zetten. Het enige dat Zajnab Al-Fawwaz vanuit haar harem echt kon doen was de Arabische pers overstelpen met artikelen en gedichten, waarin ze uiting gaf aan haar haat jegens de sluier en de afzondering van vrouwen. Dat waren twee grote obstakels voor de grootheid van de islam, betoogde zij, en een verklaring voor ons falen tegenover de westerse koloniale legers. Gelukkig hoefden wij op het terras Zajnabs krantenartikelen niet te verdragen, want die waren uitzonderlijk lang en zaten vol herhalingen. Ze had ook een *Who is who* van beroemde vrouwen gepubliceerd, in 1895, en daarvoor had ze meer dan vierhonderdvijftig verbluffende biografieën van rolmodellen voor vrouwen verzameld, van Cleopatra tot koningin Victoria van Engeland. Dit boek leverde Sjama heel wat stof om uit te kiezen.[21]

Maar de meest succesvolle kampioene van de vrouwenrechten was voor het publiek van het terras Hoeda Al-Sjaraawi, een aristocratische Egyptische schoonheid, geboren in 1879, die de heersers van Egypte betoverde met vurige toespraken en populaire betogingen. Haar leven gaf iedereen op het terras, ook ons kinderen, de gelegenheid het toneel op te gaan en nationalistische militaire liederen te zingen. Je had acteurs nodig om de Egyptische betogers te spelen, acteurs voor de Britse politie, en natuurlijk acteurs voor de omstanders.

Op haar dertiende was Hoeda tot een huwelijk gedwongen, en ze fascineerde Sjama omdat ze met louter vasthoudende wilskracht kans had gezien in enkele decennia een hele samenleving te veranderen. Hoeda was erin geslaagd twee schijnbaar tegenstrijdige dingen tegelijkertijd te doen: de Britse bezetting én haar eigen traditionele afzondering bestrijden. Ze wierp haar sluier af toen ze in 1919 de eerste officiële vrouwendemonstratie tegen de Britten leidde, en zorgde ervoor dat wetgevers talrijke belangrijke wetten aannamen, waaronder een in 1924 waarin de wettelijke huwelijksleeftijd van meisjes tot zestien jaar werd opgetrokken. Ook vond ze het zo weerzinwekkend dat de net onafhankelijk geworden Egyptische staat in 1923 een grondwet aannam waarin alleen mannen kiesrecht hadden, dat ze de Egyptische Feministische Unie oprichtte en met succes voor het vrouwenkiesrecht vocht.[22] Hoeda Al-Sjaraawi's koppige strijd voor vrouwenrechten inspireerde ook veel andere net onafhankelijk geworden Arabische landen die zich al tot de nationalistische idealen aangetrokken voelden, om het vrouwenkiesrecht in hun nieuwe grondwet op te nemen.

Op het terras waren we dol op de grote vrouwendemonstratie van 1919. Dat was een hoogtepunt in de opbouw van Sjama's stuk, omdat we bijna allemaal het toneel op mochten stormen, langs de wankele gordijnen die Sjama met zoveel moeite had opgehangen (aan waspalen die in olijfkruiken waren gezet), op en neer mochten springen, denkbeeldige Britse soldaten mochten uitschelden en onze sjaals mochten weggooien die de geminachte sluiers moesten voorstellen. Vooral voor ons kinderen was dit natuurlijk een feest, betoverd als we waren bij het zien van al die volwassenen, inclusief onze eigen moeders, die speelden als kinderen. Vaak ging het zo wild toe dat Sjama op de ladder moest klimmen die voor het decor gebruikt werd, en schreeuwde dat de acteurs het toneel moesten verlaten omdat de Britten Egypte in 1922 hadden verlaten en het nu 1947 was. Hoeda lag op sterven en een plechtige stilte was vereist, omdat ze vredig in haar slaapkamer overleden was. Als we, wat vaak gebeurde, niet van het toneel weken, veranderden Sjama's kreten in bedreigingen. 'Als de acteurs niet bij zinnen komen en zich niet aan de timing van het stuk willen houden,' verkondigde ze vanaf de ladder, 'is de directie van het theater gedwongen de deuren de hele zomer gesloten te houden, wegens vandalisme, gepleegd door onbeheerste elementen.'

Het was heel lastig om van de feestelijke optocht van 1919 over te schakelen op de sterfbedscène van Hoeda. Niet alleen moesten we het toneel verlaten en weer publiek worden, maar ook moesten we door middel van een diepe stilte laten zien dat we in de rouw waren. Niet iedereen was daartoe in staat. Op een keer werd tante Habiba officieel van het terras verwijderd omdat ze haar lachen niet kon bedwingen toen Sjama, gehuld in een haastig omgegooid zwart laken, achter de gordijnen vandaan kwam rennen, struikelde en haar evenwicht verloor. Eigenlijk moesten we allemáál lachen, maar gelukkig had Sjama het zo druk met het hervinden van haar evenwicht dat ze onze gezichten niet zag. Alleen tante Habiba beging de vergissing hardop te lachen, en toen vroeg Sjama het publiek haar te helpen tante Habiba eruit te gooien. We deden wat Sjama ons vroeg, omdat ze anders een toneelstaking zou hebben uitgeroepen, en dat zou in niemands belang zijn geweest.

In diepere zin was echter het probleem met de levens van feministes dat er niet genoeg zang en dans in zat. Misschien voerde Sjama ze wel graag op, maar het publiek keek liever naar Asmahan of naar een van die avontuurlijke heldinnen uit *Duizend-en-één-nacht*. Om te beginnen zat er meer liefde, lust en avontuur in die verhalen. De levens van de feministes leken uitsluitend uit strijd en ongelukkige huwelijken te bestaan; gelukkige ogenblikken, mooie nachten of andere dingen waaraan ze de kracht ontleenden om door te gaan, kwamen er niet in voor. 'Al die superactieve dames die met nieuwe ideeën kwamen fascineerden de Arabische mannen,' zei tante Habiba. 'Er werden voortdurend mannen verliefd op hen, maar we horen nooit iets van die betoverende omhelzingen, hetzij omdat feministes die politiek irrelevant vonden, hetzij omdat ze zichzelf censureerden uit angst immoreel gevonden te worden.' Soms vroeg tante Habiba zich stiekem ook wel eens af of Sjama zelf misschien de censor was en de romantische gedeelten niet durfde op te voeren uit angst dat het publiek zich zou laten afleiden en de strijd zou vergeten. Wat de reden ook was, ik besloot toen en daar dat ik, als ik ooit een gevecht voor de bevrijding van vrouwen zou leiden, de zinnelijkheid nooit zou vergeten. Zoals tante Habiba zei: 'Waarom zou je in opstand komen en de wereld veranderen als je niet krijgt wat je in je leven mist? En wat wij in ons leven beslist missen is liefde en lust. Waarom zou je een revolutie organiseren als de nieuwe wereld ook weer een emotionele woestijn is?'

Sjeherazades vrouwen uit *Duizend-en-één-nacht* schreven niet over bevrijding. Zij gingen hun gang en lééfden de bevrijding, op een gevaarlijke en sensuele manier, en ze slaagen er altijd in zichzelf uit de problemen te halen. Ze vroegen niet aan de maatschappij om hen te bevrijden, ze bevrijdden zichzelf. Neem bijvoorbeeld het verhaal van prinses Boedoer. Een verwende, overbeschermde prinses, dochter van de machtige koning Ghajoer en echtgenote van de even machtige prins Qamar al-Zaman. Zij ging op reis met haar man, en natuurlijk zorgde hij voor alles; zij volgde hem alleen maar, zoals vrouwen doen wanneer ze met hun echtgenoot en hun mannelijke familieleden reizen. Ze reisden ver weg naar vreemde landen, en op een dag werd prinses Boedoer wakker en merkte dat ze helemaal alleen in haar tent lag, midden in de woestijn. Prins Qamar was verdwenen. Bang dat de andere mannen van de karavaan haar zouden verkrachten, haar sieraden zouden stelen of haar zelfs als slavin zouden verkopen, besloot prinses Boedoer de kleren van haar man aan te trekken en tegenover de anderen te doen alsof ze een man was. Ze was niet meer prinses Boedoer, maar prins Qamar al-Zaman. En haar list werkte! Niet alleen ontkwam ze aan verkrachting en ontering, maar ze kreeg ook een koninkrijk om over te heersen.

Het terras juichte prinses Boedoer toe omdat ze zich het onmogelijke, het onrealistische durfde voor te stellen. Als vrouw was ze machteloos en wanhopig zwak, omringd door keiharde rovers. Eigenlijk was haar situatie volkomen hopeloos: ze zat vast in de wildernis, ver van huis, midden in een karavaan vol onbetrouwbare slaven en eunuchen, om maar te zwijgen van dubieuze kooplui. Maar als je situatie hopeloos is, is het enige dat je te doen staat: de wereld op zijn kop zetten en hem opnieuw scheppen volgens jouw wensen. En dat is precies wat prinses Boedoer deed.

15

Het lot van prinses Boedoer

Als je prinses Boedoer wilde opzoeken in *Duizend-en-één-nacht*, zou dat niet gemakkelijk zijn. Ten eerste staat haar naam niet in de inhoudsopgave. Het verhaal is naar haar echtgenoot genoemd: 'De geschiedenis van Qamar al-Zaman'. Ten tweede wordt het verhaal in de 962e nacht verteld, dus om het te vinden moet je het boek bijna uitlezen. Tante Habiba zei dat dat misschien kwam doordat Sjeherazade, de vertelster, bang was dat ze een kopje kleiner gemaakt zou worden als ze het verhaal van prinses Boedoer eerder had verteld. Tenslotte was de moraal van het verhaal dat een vrouw de maatschappij bij de neus kan nemen door te doen alsof ze een man is. Ze hoeft alleen maar de kleren van haar man aan te trekken; het verschil tussen de seksen is stom, alleen maar een kwestie van kleren. En dat was nogal een onbeschaamde les voor de boze koning aan wie Sjeherazade haar verhalen vertelde, zeker in het begin. Ze moest hem eerst een beetje gunstig stemmen met minder bedreigende verhalen.

Eén zeer sympathieke eigenschap van prinses Boedoer was dat ze niet sterk was. Net als de meeste vrouwen op het terras was ze niet iemand die gewend was haar eigen problemen op te lossen. Volkomen afhankelijk van mannen en niets wetend van de buitenwereld, had ze nooit enig zelfvertrouwen ontwikkeld, en had ze geen enkele ervaring in het analyseren van problematische situaties en het bedenken van oplossingen. Maar ondanks haar schijnbare hulpeloosheid nam ze de juiste – en zeer vermetele – beslissingen. 'Het is helemaal niet erg om hulpeloos te zijn dames!' zei tante Habiba als het haar beurt was om de voorstelling over te nemen. 'Het leven van prinses Boedoer is daar het bewijs van. Als je niet de kans hebt gehad je talenten te beproeven, betekent dat niet dat je ze niet hebt.'

Tante Habiba nam de voorstelling altijd over als het publiek zich begon te vervelen bij Sjama's feministes en vrolijker stukken eiste met meer zang en dans. Tante Habiba was een minder verbeten regisseuse dan Sjama, die ongelooflijk veel energie besteedde aan de mise-en-scène en de kostuums. Tante Habiba bracht juist alles terug tot het minimum. 'Het leven is zo al ingewikkeld genoeg,' zei ze, 'dus laten we de zaken in godsnaam niet moeilijk maken als je je wilt ontspannen.' Tijdens de voorstellingen zat tante Habiba op een gemakkelijke stoel waar een rijk geborduurd kleed overheen lag zodat hij er uitzag als een troon. Ze droeg voor de gelegenheid ook haar sierlijke, met goud geborduurde kaftan, die ze meestal zorgvuldig opgevouwen bewaarde in de cederhouten kist die ze uit haar echtscheiding had weten te redden. De kaftan was van zwart fluweel en bezaaid met parels die haar vader van zijn pelgrimstocht naar Mekka had meegebracht, en het had tante Habiba drie jaar gekost om hem te borduren. 'Tegenwoordig kopen de mensen kant-en-klare spullen die ze niet zelf gemaakt hebben,' zei ze altijd, 'maar als je avonden lang aan een sjaal of een kaftan hebt zitten borduren, wordt het een prachtig kunstwerk.' [23] De kaftan van tante Habiba was inderdaad buitengewoon indrukwekkend, en omdat ze hem alleen bij speciale gelegenheden aantrok, had je altijd het gevoel dat je ergens anders was op het moment dat zij ermee op het toneel verscheen.

Het drama van prinses Boedoer begon nog tamelijk goed:

haar vader, koning Ghajoer, voorziet haar en haar liefhebbende echtgenoot, prins Qamar al-Zaman, van alles wat ze voor hun reis nodig hebben. De koning

haalde uit zijn stallen paarden gemerkt met zijn eigen brand-
ijzer, bloeddromedarissen die tien dagen konden lopen zon-
der water, maakte een draagstoel voor zijn dochter gereed
en laadde bovendien leeftocht op de ruggen van muilezels
en kamelen; tevens gaf hij hun slaven en eunuchen mee om
hen te dienen, en velerlei reisbenodigdheden. En op de dag
van vertrek, toen koning Ghajoer Qamar al-Zaman vaar-
wel zei, schonk hij hem tien uitmuntende gouden gewaden
geborduurd met kostbare edelstenen, mitsgaders tien rij-
paarden en tien vrouwtjeskamelen en een schat aan geld, en
hij droeg hem op zijn dochter prinses Boedoer lief te hebben
en te koesteren. Daarna vertrokken de prins en de prinses en
zij reden zonder oponthoud de hele eerste dag en de tweede
en de derde en de vierde dag; noch onderbraken zij hun reis
gedurende een hele maand, totdat ze kwamen bij een wijde
vlakte vol grazige weiden, waar ze hun tenten opzetten. En
zij aten en dronken en rustten, en prinses Boedoer legde zich
ter ruste.[24]

En toen ze de volgende ochtend wakker werd, lag ze helemaal alleen in de tent. Haar echtgenoot was op geheimzinnige wijze verdwenen.

Op dit punt moesten wij kinderen, die achter de tent van prinses Boedoer zaten, allerlei geluiden maken om aan te geven dat de karavaan bezig was te ontwaken. Samir was een meester in het imiteren van paardengeluiden en hij hield er, met tegenzin, pas mee op wanneer Sjama als prinses Boedoer hardop begon na te denken over de eenzaamheid en de machteloosheid van een vrouw die plotseling haar man kwijt is.

'Als ik naar buiten ga en de dienaren vertel en laat merken dat mijn echtgenoot weg is, zullen ze mij begeren. Het enige dat mij te doen staat is een list bedenken.' Ze stond dus op en kleedde zich in enkele kledingstukken en rijlaarzen van haar man en zette een tulband op zoals de zijne, een van de hoeken als mondsluier over haar gezicht trekkende. Vervolgens zette zij een slavin op haar draagstoel en verliet de tent, en met haar gevolg reisde ze vele dagen en nachten, totdat ze een stad ontwaarden die over de Zoutzee uitzag. Daar zetten ze hun tenten op buiten de muren, en rustten er uit. De prinses vroeg hoe de stad heette en haar werd meegedeeld: 'De stad wordt Ebbenstad genoemd, de naam van haar koning is Armanus, en hij heeft een dochter Hajat al-Noefoes.'

Met haar aankomst in Ebbenstad waren de moeilijkheden van prinses Boedoer nog niet afgelopen. In feite verslechterde haar situatie nog, want koning Armanus was zo verrukt van haar gezicht dat hij haar wilde laten trouwen met zijn eigen dochter, Hajat al-Noefoes. Wat een afschuwelijk vooruitzicht voor prinses Boedoer! Hajat al-Noefoes zou haar list onmiddellijk ontdekken, en misschien zou ze wel onthoofd worden. In Ebbenstad werden elke dag mensen om minder onthoofd.

In de volgende scène liep prinses Boedoer door haar tent te ijsberen, terwijl ze zich afvroeg wat ze moest doen. Als ze het voorstel van de koning aannam, kon ze ter dood veroordeeld worden omdat ze had gelogen. Maar als ze het afwees, stond de doodstraf haar wellicht eveneens te wachten. Als je lang en gezond wilde leven kon je het aanbod van een koning niet afslaan, vooral niet als je daarmee zijn dochter beledigde.

Terwijl Sjama heen en weer liep om prinses Boedoers dilemma zichtbaar te maken, splitste het publiek zich in twee kampen. Het ene kamp vond dat ze de koning de waarheid moest vertellen, want als ze hem vertelde dat ze een vrouw was, werd hij misschien wel verliefd op haar en zou hij haar vergeven. Het andere kamp vond dat ze het huwelijksaanbod maar beter kon aannemen en daarna in de bruidssuite alles aan prinses Hajat moest vertellen, want dat zou een aanzet tot vrouwensolidariteit zijn. Vrouwensolidariteit was sowieso een zeer gevoelig onderwerp op de binnenplaats, want de vrouwen trokken zelden één lijn tegenover de mannen. Sommige vrouwen, zoals grootmoeder Lalla Mani en Lalla Radia, die voor harems waren, stemden altijd in met de besluiten van de mannen, in tegenstelling tot vrouwen als moeder. Eigenlijk stelde moeder vrouwen die de kant van de mannen kozen verantwoordelijk voor het lijden van vrouwen. 'Die vrouwen zijn gevaarlijker dan mannen,' legde ze uit, 'want lichamelijk zien ze er net zo uit als wij, maar in feite zijn het wolven in schaapskleren. Als vrouwen solidair met elkaar waren, zouden we niet op dit terras opgesloten zitten. Dan zouden we door Marokko reizen, of zelfs naar Ebbenstad varen als we daar zin in hadden.' Tante Habiba, die altijd op de eerste rij zat, ook al regisseerde ze zelf niet en speelde ze geen rol in het stuk, had van Sjama de opdracht gekregen de stemming van het publiek goed in de gaten te houden, en zodra de kwestie van de vrouwensolidariteit opdook, kapte ze dat af voordat er een ernstige, bittere ruzie ontstond.

In elk geval koos prinses Boedoer voor vrouwensolidariteit, en dat bleek een uitstekende keuze – een keuze die aantoonde dat vrouwen in staat waren tot grootse en edele gevoelens jegens elkaar. Prinses Boedoer accepteerde het voorstel van koning Armanus om met zijn dochter te trouwen, en met deze daad verkreeg ze onmiddellijk de heerschappij over Ebbenstad – zeker geen slechte start. Wij op het terras vierden de bruiloft, waarbij Samir en ik koekjes uitdeelden. Op een keer beweerde Sjama dat er geen koekjes hoefden te zijn omdat een bruiloft tussen twee vrouwen niet wettig was. Maar het publiek reageerde meteen: 'Je moet je aan de koekjesregel houden. Je hebt er nooit bij gezegd dat de bruiloft wettig moest zijn.'

Na de bruiloft trokken de jonggehuwden zich terug in de slaapkamer van prinses Hajat. Maar die eerste nacht kuste prinses Boedoer haar bruid heel snel welterusten en bleef toen urenlang zitten bidden, totdat de arme Hajat in slaap viel. Tijdens deze scène moesten we allemaal lachen om Sjama's portret van een zeer religieuze bruidegom. 'Hou op met bidden en doe je werk,' riep moeder dan. Dan snelden Samir en ik naar voren om de gordijnen neer te laten en daarmee te laten zien dat er één nacht voorbij was. Als we de gordijnen weer optrokken was de arme echtgenoot nog steeds aan het bidden, en Hajat al-Noefoes zat nog steeds op een omhelzing te wachten. Dit deden we keer op keer: de echtgenoot bleef maar bidden, de vrouw bleef maar wachten, en het hele publiek brulde van het lachen.

Ten slotte, na heel wat nachten vol gebed, had prinses Hajat er genoeg van, en ging haar beklag doen bij haar machtige vader, koning Armanus. Prins Qamar, zei ze, vond het niet belangrijk haar een kind te schenken, want hij zat elke nacht alleen maar te bidden. Zoals te verwachten viel, stond dit de koning helemaal niet aan, en hij dreigde de bruidegom onmiddellijk uit Ebbenstad te verbannen wanneer hij zich niet als een echte man ging gedragen. Dus diezelfde nacht nog biechtte prinses Boedoer prinses Hajat haar hele geschiedenis op, van het begin tot het eind, en vroeg om haar hulp. 'Ik zweer je bij Allah mijn geheim te bewaren, want ik heb mijn zaak alleen verborgen gehouden opdat

Allah mij zal herenigen met mijn geliefde Qamar al-Zaman.'

En natuurlijk gebeurde het wonder. Prinses Hajat had medelijden met prinses Boedoer en beloofde haar te helpen. De twee vrouwen voerden toen een valse maagdelijkheidsceremonie op, zoals de traditie die voorschreef.

> *Hajat al-Noefoes stond op en nam een duivenkuiken, sneed het de keel af boven haar jak en besmeurde zichzelf met zijn bloed. Toen trok ze haar pofbroek uit en schreeuwde luid, waarop iedereen toesnelde en de gebruikelijke vreugdekreten slaakte.*

Daarna deden de twee vrouwen alsof ze man en vrouw waren, waarbij prinses Boedoer met één hand het koninkrijk regeerde, en met de andere hand zoektochten naar haar geliefde Qamar al-Zaman organiseerde.

De vrouwen op het terras juichten bij prinses Hajats besluit om de arme Boedoer, die het onmogelijke had durven doen, te helpen, en na het toneelstuk voerden ze verhitte gesprekken tot diep in de nacht over noodlot en geluk, en over het ontsnappen aan het eerste en het najagen van het tweede. Vrouwensolidariteit, daar waren velen het over eens, was de sleutel tot beide.

16
Het verboden dakterras

Geluk is echter, dat dacht ik toen en dat denk ik nog steeds, ondenkbaar zonder een terras, en met een terras bedoel ik iets heel anders dan het Europese dak dat neef Zin beschreef toen hij Blad Teldj, het Sneeuwland, had bezocht. Hij zei dat de huizen daar geen mooi witgesausde en soms prachtig betegelde platte terrassen hadden zoals bij ons, met sofa's en planten en bloeiende struiken. Nee, hun daken waren driehoekig en puntig omdat ze de huizen tegen de sneeuw moesten beschermen, en je kon je er onmogelijk op uitstrekken want dan zou je eraf glijden. Toch waren niet alle terrassen van Fes toegankelijk; de dakterrassen waren meestal verboden gebied, want als je eraf viel zou dat je dood kunnen betekenen. Desondanks droomde ik voortdurend van een bezoek aan ons verboden dakterras, het hoogste van onze straat, waar nog nooit een kind gezien was voorzover ik me kon herinneren.

Maar de eerste keer dat ik ten slotte dat verboden terras beklom, vergat ik die dromen volkomen, en ik besloot ter plaatse mijn idee te herzien dat volwassenen altijd onredelijk waren en altijd het plezier van kinderen bedierven. Ik was zelfs zo bang toen ik daar stond, dat ik niet meer kon ademen en begon te trillen. Was ik toch maar gehoorzaam geweest en had ik dat gewone lagere terras met zijn twee meter hoge muren maar nooit verlaten. De minaretten en zelfs de reusachtige Qarawiyyin-moskee lagen daar onder mij ineengedoken als speelgoed in een kabouterstad. Ondertussen leken de wolken die over mij heen dreven dreigend dichtbij, met hun felroze, bijna rode vlammen aan de bovenkant, die ik van beneden af nooit gezien had. Ik hoorde een vreemd geluid, zo beangstigend dat ik eerst dacht dat het een monsterachtige, onzichtbare vogel was. Maar toen ik nicht Malika ernaar vroeg, zei ze dat ik alleen maar bang was; het geluid was mijn eigen bloed dat door mijn aderen stroomde, en zij had hetzelfde gevoeld toen ze voor het eerst op het verboden dakterras kwam. Maar ook zei ze: als ik huilde of zei dat ik bang was, wilde ze mij wel naar beneden helpen, maar dan nam ze me nooit meer mee naar boven en dan zou het woord 'harem' de rest van mijn leven een raadsel voor me blijven. Daarover wilden Samir en zij namelijk op het terras gaan praten. Ze hadden zichzelf de opdracht gegeven dat ongrijpbare woord te analyseren, en als beloning hadden ze zichzelf getrakteerd op een bezoek aan het legendarische verboden terras. Absolute geheimhouding was geboden; niemand mocht van het bezoek weten.

Ik fluisterde dus dat ik niet bang was. Ik had alleen maar raad nodig bij de vraag hoe ik een eind kon maken aan dat geluid in mijn hoofd. Ze zei dat ik moest gaan liggen, met mijn gezicht naar de hemel, dat ik niet naar bewegende voorwerpen zoals wolken of vogels mocht kijken en mijn ogen op een vast punt moest richten. Als ik me dan een poosje op dat punt concentreerde, zou de wereld weer normaal worden. Voordat ik ging liggen droeg ik haar op moeder te laten weten dat ik, mocht het Allahs wil zijn dat ik op het terras zou sterven, een enorme som geld schuldig was aan Sidi Soesi, de koning van de geroosterde kekers en de met houtskool gegrilde pinda's en amandelen, die een stalletje buiten onze koranschool had. Mijn lerares Lalla Tam had mij verteld dat je rechtstreeks naar de hel gestuurd zou worden als je met schulden in de andere wereld aankwam.

Een goede moslim betaalde altijd haar schulden en zorgde voor een schone lei, levend of dood.

Het terras boven dat waar wij onze toneelstukken opvoerden was verboden omdat er geen muren waren en je dood kon vallen als je een verkeerde beweging maakte. Het lag vijf meter hoger dan het lagere terras en was in feite het plafond van tante Habiba's kamer. Er leidde geen trap naar toe omdat het niet de bedoeling was dat er iemand kwam. De enige officiële manier om er te komen was via een ladder, die werd beheerd door Ahmed de portier. Maar iedereen in huis wist dat vrouwen die aan *hem* leden, een licht soort depressie, erheen klommen om de rust en de schoonheid te vinden die ze nodig hadden om zichzelf te genezen.

Hem was een vreemde kwaal, heel anders dan een *moesjkil* (probleem). Vrouwen met een moesjkil kenden de oorzaak van hun pijn, maar wie aan hem leed wist niet wat er mis was. Er was geen naam voor datgene wat je scheelde. Tante Habiba zei dat je geluk had als je wist wat je mankeerde, want dan kon je er iets aan doen. De vrouw die hem had kon niets doen behalve stil daar zitten, met haar ogen wijdopen en haar kin rustend in de palm van haar hand, alsof haar nek haar hoofd niet meer kon dragen.

Omdat alleen rust en schoonheid vrouwen met hem konden genezen, werden ze vaak naar een heiligdom op de top van een hoge berg gebracht, bijvoorbeeld dat van Moelay Abdesslam in de Rif, van Moelay Boeazza in de Atlas, of naar een van vele rustoorden langs de oceaan tussen Tanger en Agadir. In onze harem hadden we geluk, want alleen nicht Sjama had soms last van hem, en zelfs zij werd er niet volkomen door bezeten. Meestal trof het haar alleen als ze naar een speciaal programma op Radio Cairo luisterde over Hoeda Al-Sjaraawi en de voortgang van de vrouwenbevrijding in Egypte en Turkije. Dan werd ze door hem overvallen. 'Mijn generatie wordt opgeofferd!' riep ze dan. 'De revolutie is bezig vrouwen in Turkije en Egypte te bevrijden, en wij blijven hier tussen de wal en het schip zitten. Geen deel meer van de traditie, maar ook niet profiterend van de moderne tijd. We hangen er tussenin, als verwaarloosde vlinders.' Als Sjama op die manier zat te schreeuwen, omringden wij haar met hanan, die onbeperkte, grenzeloze tederheid, tot ze weer beter werd. Stille natuurlijke schoonheid en tederheid zijn de enige medicijnen tegen een dergelijke ziekte.

De andere vrouw in huis die soms stiekem naar het verboden dakterras klom was tante Habiba. Zij was het terras gaan gebruiken toen ze net bij ons woonde, na haar echtscheiding. En van haar leerden we hoe je er kon komen zonder ladder. Wij kinderen kenden tante Habiba's geheim omdat ze ons nodig had om de binnenplaats en de trappen te bewaken als ze naar het verboden terras klom. Dan nam ze twee van die gigantische waspalen die op het lagere terras stonden (die werden gebruikt voor het drogen van zware was zoals wollen dekens en vloerkleden, die alleen in augustus werden schoongemaakt, als de zon op zijn heetst was) en gebruikte ze als ladder. Het was geen gemakkelijke operatie. Ten eerste moest tante Habiba de palen stabiliseren door ze in lege olijfkruiken te zetten, met kussens onderin om het geluid te dempen. Vervolgens moest ze de twee palen aan de bovenkant laten kruisen om een tree voor haar voet te maken. Onder die tree maakte ze andere treden met behulp van de houten kisten die overal op het terras stonden. Met die houten kisten kon ze drie of zelfs vier meter boven de grond komen, en via de hoogste tree, de kruising van de palen, kon ze zichzelf omhoog drukken tot op het verboden terras. Deze methode zou nooit bij ons zijn opgekomen als we tante Habiba niet in actie hadden gezien.

De olijfkruiken waren even essentieel voor de operatie als de palen. In oktober werden er zwarte olijven van het land naar ons huis gebracht en die werden eerst opgeslagen in reusachtige bamboevaten, met een massa zeezout en stenen erbovenop zodat het bittere sap eruit werd geperst. (Verse olijven zijn veel te bitter om te eten.) Als het sap eruit was, werden de olijven uit hun bamboevaten gehaald, in grote aarden kruiken gedaan en buiten op het terras gezet, waar de zon ze kon drogen. Af en toe stelde tante Habiba de olijven bloot aan de open lucht door ze in een afgelegen hoekje van het terras plat op een laken uit te spreiden, en als ze helemaal gerimpeld en droog waren, voegde ze er bergen verse oregano en andere kruiden aan toe en deed ze ze veilig terug in de kruiken. Eind februari konden de olijven dan gegeten worden, en dan kwam het vrouwenteam dat die dag voor het ontbijt moest zorgen naar boven om er een emmer vol van te halen. Zwarte olijven met sterke muntthee, *chli*[25] en vers brood was een heel gebruikelijk en zalig ontbijt.

Ik was dol op het ontbijt, niet alleen vanwege de zoute olijven, maar ook vanwege *sj-hiwat*, lekkernijen, die we te danken hadden aan de excentriekelingen van de binnenplaats, die naast dat wat officieel verkrijgbaar was aan de gemeenschappelijke tafels ook andere dingen wilden eten. Omdat je in het bijzijn van anderen niet iets mocht eten zonder het met hen te delen, maakten de sj-hiwat het ontbijt tot een feest. De excentriekelingen moesten ons allemaal van hun eigen favoriete lekkernijen voorzien, en zorgen dat er genoeg was voor de hele huishouding. Sommigen kwamen met kalkoenen- en eendeneieren, anderen hunkerden naar honing met een eucalyptusgeur uit de bossen rond Kenitra. Sommigen hielden van donuts, brachten er dozijnen mee, en die moesten wij op een democratische manier verdelen. Maar de meest gewaardeerde excentriekelingen waren degenen die kwamen aanzetten met vreemde vruchten van buiten het seizoen, of gezouten kaas uit de Rif, opgediend in palmbladeren.

Maar terug naar de olijven. Wij kinderen vonden ze erg lekker, maar nog heerlijker was de wetenschap dat de kruiken geleidelijk van hun inhoud werden ontdaan. Wij gebruikten de kruiken voor allerlei activiteiten. Naar het verboden terras klimmen was er slechts een van. Verstoppertje spelen was er ook een.

Het doel van Samir en Malika toen ze naar het dakterras klommen, was een nader onderzoek naar de harem. Maar bij ons eerste bezoek kwamen we niet erg ver. Toen we weer normaal konden ademhalen kregen de schoonheid en de rust op het terras ons in hun greep. We zaten heel stil te kijken zonder ons te willen bewegen, want we zaten zo dicht bij elkaar dat zelfs de geringste beweging de anderen hinderde. De andere twee klaagden al als ik mijn vlechten weer bovenop mijn hoofd vaststak. Toen stelde Malika een vraag, een tamelijk eenvoudige vraag: 'Is een harem een huis waar een man woont met veel vrouwen?' We kwamen alle drie met een ander antwoord. Malika's antwoord was ja, want in haar eigen familie was dat het geval. Haar vader, oom Karim, had twee vrouwen, haar moeder Biba en de mede-echtgenote Knata. Samirs antwoord was nee, omdat je ook harems had zonder mede-echtgenotes, bijvoorbeeld die van zijn eigen vader, oom Ali, of van mijn vader. (Een gruwelijke hekel aan mede-echtgenotes was ongeveer het enige dat mijn moeder en Lalla Radia, Samirs moeder, gemeen hadden.)

Mijn antwoord op Malika's vraag was ingewikkelder. Ik zei dat het ervan afhing. Als ik aan grootmoeder Jasmina dacht, was het antwoord ja. Als ik aan moeder dacht, was het antwoord nee. Maar ingewikkelde antwoorden ergeren anderen, omdat ze de verwarring groter maken, en Samir en

Malika negeerden allebei mijn bijdrage en bleven onderling discussiëren, terwijl ik wegdroomde en naar de wolken boven mij keek, die steeds dichterbij leken te komen. Ten slotte concludeerden Samir en Malika dat ze met een te moeilijke vraag waren begonnen. We moesten terug naar het begin en de stomst mogelijke vraag stellen: 'Hebben alle getrouwde mannen een harem?' Vanaf dat punt konden we dan verder gaan.

We waren het er alle drie over eens dat Ahmed de portier getrouwd was. Met zijn vrouw Loeza en hun vijf kinderen woonde hij pal naast de poort in twee kleine slaapkamers. Maar zijn huis was geen harem. Dus het zat hem niet in het getrouwd-zijn. Betekende dat dan, zei ik, dat je geen harem had als je geen rijk man was? Ik vond dat heel slim bedacht, en het bleek ook een uitstekende vraag te zijn, want zowel Malika als Samir zeiden een tijdje niets. Toen stelde Malika, die regelmatig misbruik maakte van het feit dat ze ouder was, een schunnige, onfatsoenlijke vraag die wij niet verwachtten: 'Misschien moet een man een groot ding onder zijn djellaba hebben om een harem te kunnen maken, en heeft Ahmed maar een klein ding?' Samir maakte direct korte metten met deze richting van het onderzoek. Hij zei dat we allemaal op beide schouders een engel hadden zitten die elk woord dat we zeiden opschreef in een groot boek. Op de Dag des Oordeels werd dat boek opgeslagen en werden onze daden beoordeeld, en uiteindelijk mochten de gelukkigen die niets hadden gezegd om zich over te schamen, naar het paradijs. De anderen werden in de hel gegooid. 'Ik wil niet in verlegenheid gebracht worden', concludeerde Samir. Toen we hem vroegen waar hij deze informatie vandaan had, zei hij dat ze van onze lerares Lalla Tam kwam. Toen besloten we dat we vanaf dat moment ons onderzoek zouden beperken tot de zaken die halal toegestaan zijn, en ik probeerde het mogelijke geheimzinnige verband tussen de afmeting van het lid van een man en zijn recht op een harem uit mijn hoofd te zetten.

De tweede keer dat we naar het verboden dakterras klommen, waren we veel ontspannener, zowel omdat de hoogte nu minder beangstigend leek, als omdat we wisten dat we ons aan de zaken die halal waren zouden houden. Deze keer was onze vraag: 'Kun je in een harem meer dan één meester hebben?' Het was een lastige vraag, en we zaten allemaal een tijdlang zwijgend verdiept in onze eigen gedachten. Toen zei Samir dat het in sommige gevallen wel kon, en in andere niet. Hij vergeleek onze harem met die van oom Karim, Malika's vader. In Malika's harem was maar één meester, in de onze waren er twee. Oom Ali en vader waren allebei meester, hoewel oom een beetje meer meester was dan vader, omdat hij ouder was, de eerstgeboren zoon. Maar oom en vader namen allebei beslissingen en gaven je al dan niet toestemming om te doen wat je wilde. En zoals Jasmina zei, het was beter om twee meesters te hebben dan één, want als je van de ene geen toestemming kreeg, kon je altijd naar de andere gaan. In Malika's huis was het onverbiddelijk: of oom Karim gaf wel toestemming, of hij gaf geen toestemming, voor verwarring was geen plaats. Als Malika toestemming wilde hebben om na de koranschool met ons mee naar huis te gaan en daar te blijven tot zonsondergang, dan moest ze daar wekenlang bij haar vader om zeuren. Maar hij luisterde niet. Hij zei dat een klein meisje na school meteen naar huis moest komen. Ten slotte riep Malika de hulp in van Lalla Mani, Lalla Radia en tante Habiba, en hij veranderde pas van gedachten als zij tegen hem zeiden dat het huis van Malika's oom identiek was aan dat van haar vader, en dat ze bovendien thuis niemand van haar leeftijd had om mee te spelen: al haar broers en zussen waren veel ouder dan zij.

Hoe meer meesters je had, des te meer vrijheid en des te meer plezier. Dat gold ook voor de boerderij van Jasmina. Grootvader Tazi was natuurlijk de hoogste autoriteit, maar twee van zijn oudste zonen, Hadj Salim en Hadj Djalil, namen ook beslissingen. Als grootvader afwezig was, traden zij op als zijn plaatsvervangers, waarbij ze vaak deden wat ze konden om Jasmina en de andere vrouwen te pesten. Jasmina gaf hun vaak lik op stuk door bijvoorbeeld te zeggen dat grootvader haar voordat hij 's morgens vroeg vertrokken was, toestemming had gegeven om te gaan vissen, iets dat de twee zonen onmogelijk konden weerleggen, want zij stonden niet voor acht uur op. Jasmina kreeg alles voor elkaar, gewoon omdat ze vroeg opstond, en ze zei tegen mij dat ook ik, als ik gelukkig wilde zijn in het leven, vlak voor de vogels moest opstaan. Dan zou mijn leven zich voor mij uitspreiden als een tuin, zei ze. De muziek van die kleine schepseltjes zou mij van binnen gelukkig maken terwijl ik rustig zat na te denken over hoe ik mijn dag zou gaan gebruiken en wat mijn volgende kleine stap zou zijn. Om gelukkig te zijn, zei ze, moest je als vrouw in lange stille uren goed nadenken over elke kleine stap vooruit die je wilde zetten. 'De eerste stap is dat je erachter komt wie *soelta* (gezag) over je heeft,' zei Jasmina. 'Die informatie is fundamenteel. Maar daarna moet je de kaarten gaan schudden, de rollen door elkaar gooien. Dat is het interessante deel. Het leven is een spel. Kijk er op die manier naar, dan kun je om alles lachen.' Soelta, gezag, spel. Deze sleutelwoorden doken steeds weer op, en ik bedacht dat de harem zelf misschien wel niets anders was dan een spel. Een spel tussen mannen en vrouwen die bang voor elkaar waren en daarom altijd probeerden te bewijzen hoe sterk ze waren, net zoals wij kinderen altijd deden. Maar met dat idee kon ik die middag niet bij Malika en Samir aankomen, want dat klonk al te dwaas. Het betekende dat volwassenen niet anders waren dan kinderen.

Toen we die dag het dakterras verlieten, waren we zo vol van ons onderzoek dat we de roze wolken niet eens opmerkten die stil naar het westen dreven, en allerlei andere dingen ook niet. We hadden geen enkel antwoord gevonden – in feite was alles ons duisterder dan ooit, en we gingen tante Habiba om hulp vragen. Ze was verdiept in haar borduurwerk, zat met haar hoofd gebogen over haar *mrema*, een horizontaal houten raam dat voor ingewikkelde werkstukken gebruikt werd. De mrema leek op het grote weefgetouw van de mannen, maar was veel kleiner en lichter. Je deed de stof er stevig omheen, zodat die strak bleef staan als de naald erdoorheen ging. De mrema was een zeer persoonlijk voorwerp, dat elke vrouw op haar eigen manier zo instelde dat ze haar hoofd niet te diep hoefde te buigen. Borduren was in de eerste plaats een eenzaam karwei, maar de vrouwen gingen dikwijls bij elkaar zitten als ze wilden praten of als ze met een erg tijdrovend werk bezig waren.

Die dag zat tante Habiba helemaal alleen een groene vogel met gouden vleugels te borduren. Grote vogels die hun agressieve vleugels uitspreidden waren geen klassiek patroon, en als Lalla Mani het had gezien zou ze gezegd hebben dat het afschuwelijk nieuwerwets was en dat het hoofd van degene die het maakte vol zat met vluchten en ontsnappen. In de traditionele borduurpatronen kwamen natuurlijk ook wel vogels voor, maar die waren klein, en vaak volkomen verlamd omdat ze zaten ingeklemd tussen gigantische planten en bloemen met dikke bladeren. Omdat Lalla Mani er zo over dacht borduurde tante Habiba altijd klassieke voorstellingen als ze beneden op de binnenplaats zat, en hield ze haar grote gevleugelde vogels voor zichzelf, boven in haar eigen kamer met zijn directe toegang tot het terras. Ik was dol op haar. Ze was zo stil, uiterlijk zo rustig ten opzichte van de eisen van een harde buitenwereld, en toch wist ze haar vleugels altijd vast te houden. Ze stelde mij gerust over de toekomst: een vrouw kon volslagen machteloos zijn, en toch zin aan haar leven geven door te dromen dat ze vloog.

Malika, Samir en ik wachtten tot tante Habiba opkeek, en toen vertelden we haar wat ons probleem was en dat we alleen maar meer in de war raakten als we die haremkwestie probeerden op te lossen. Na aandachtig geluisterd te hebben zei ze dat we in een *tanaqud*, een tegenstrijdigheid, terecht gekomen waren. Dat betekende dat je, als je een vraag stelde, te veel antwoorden kreeg, zodat je verwarring alleen maar groter werd. 'En het probleem van verwarring,' zei tante Habiba, 'is dat je je dom gaat voelen.' Maar, ging ze verder, als je volwassen wilde worden moest je leren omgaan met tanaqud. De eerste stap voor beginners was: geduld ontwikkelen. Je moest leren accepteren dat je verwarring voorlopig alleen maar groter werd als je een vraag stelde. Maar dat was geen reden om Allahs kostbaarste geschenk aan de mens, *aql* (verstand), niet meer te gebruiken. 'En denk erom,' voegde tante Habiba eraan toe, 'nog nooit is iemand iets gaan begrijpen zonder vragen te stellen.'

Tante Habiba zei ook iets over tijd en ruimte, over hoe harems in elk deel van de wereld en in elke tijd verschillend zijn. De harem van de Abbasidische kalief Haroen al-Rasjid in het Bagdad van de negende eeuw had niets te maken met onze eigen harem. Zijn djariya's waren zeer ontwikkelde vrouwen, die in razend tempo boeken over geschiedenis en religie verslonden om hem te kunnen amuseren. De mannen van die tijd konden het gezelschap van ongeletterde, onontwikkelde vrouwen niet waarderen, en je had geen kans de aandacht van de kalief te trekken als je hem niet kon imponeren met je kennis van natuurwetenschap, geschiedenis en aardrijkskunde, om maar te zwijgen van jurisprudentie. Dat waren de onderwerpen die de kalief obsedeerden, en het praten daarover nam het grootste deel van zijn vrije tijd in beslag, tussen de ene *djihad* (heilige oorlog) en de andere in. Maar, zei tante Habiba, dat was lang geleden. Nu zaten onze harems vol met ongeletterde vrouwen, wat alleen maar aantoonde hoe ver we van de traditie waren afgeweken. En wat kracht en macht betrof waren de Arabische leiders niet meer de overwinnaars, maar de overwonnenen, verpletterd door de koloniale legers. In de tijd dat de djariya's zo hoog ontwikkeld waren, stonden de Arabische mannen in de wereld bovenaan. Nu stonden zowel de mannen als de vrouwen helemaal onderaan, en hun verlangen naar ontwikkeling was een teken dat we bezig waren ons aan onze koloniale vernedering te ontworstelen. Terwijl tante Habiba zat te praten, keek ik naar Samir om te zien of hij alles snapte wat ze zei. Maar ook hij zag er onzeker uit. Tante Habiba merkte onze rusteloosheid op en zei dat we ons geen zorgen moesten maken, we hoefden het naadje van de kous nu nog niet te weten. Nu was alleen belangrijk dat we vorderden, ook al wisten we dat niet. Op dit moment konden we alleen maar doorgaan met onze taak.

Een week later, bij onze volgende bijeenkomst op het verboden terras, kwam Malika met de kwestie van de slaven. Had je slaven nodig om een harem te kunnen hebben? Samir zei dat dat een belachelijke vraag was, omdat wij helemaal geen slaven in onze harem hadden. Maar Malika antwoordde ad rem dat Mina, die bij ons woonde, een slavin was. Samir antwoordde dat Mina's aanwezigheid bij ons een kwestie van toeval was. Ze had geen man, geen kinderen en geen familieleden, en ze was bij ons omdat ze bij niemand hoorde en nergens heen kon. Ze was *maqtoea*, afgesneden van haar wortels, als een dode boom. Jaren geleden was Mina gekidnapt uit haar geboorteland Soedan, ergens ten zuiden van de Sahara, en als slavin in Marrakesj verkocht. Daarna was ze op allerlei slavenmarkten verkocht, totdat ze uiteindelijk als kokkin in ons huis terechtkwam. Kort daarna vroeg ze oom Ali haar vrij te stellen van het huishoudelijke werk, omdat ze zich op het dak wilde terugtrekken om te bidden. Op de binnenplaats was te veel lawaai en gepraat. En zo kampeerde Mina, behalve in de wintermaanden, als de koude winden uit het land van de christenen waaiden, op het terras met haar gezicht naar Mekka.

17
Mina de ontheemde

Mina kampeerde op het terras met haar gezicht naar Mekka, zittend op een stokoude schapenvacht. Ze leunde tegen de westmuur, met een saffraankleurig leren kussen uit Mauretanië in haar rug. Saffraan was haar kleur. Zowel haar hoofdtooi als haar kaftan waren goudgeel, en gaven een ongewone gloed aan haar serene zwarte gezicht. Ze was veroordeeld tot het dragen van geel, omdat ze bezeten was door een uitheemse djinn, die haar verbood andere kleuren te dragen. Djinns waren vreselijk eigenzinnige geesten, die zich van mensen meester maakten en hen lieten gehoorzamen aan al hun grillen, zoals het dragen van bepaalde kleuren of het dansen op een bepaald soort muziek, zelfs in landen waar het onfatsoenlijk gevonden werd als vrouwen dansten. Van oudsher droegen achtenswaardige volwassenen discrete kleuren en dansten ze zelden, en zeker nooit in het openbaar. Alleen slechte of half gekke, bezeten mannen en vrouwen dansten in het openbaar, zei Lalla Mani, een uitspraak die moeder altijd verbaasde. Zij antwoordde dan dat bijna iedereen op het platteland van Marokko er bij religieuze feesten vrolijk op los danste. Mannen, vrouwen en kinderen liepen in lange rijen hand in hand te dansen en te springen tot in de morgen, en toch zagen diezelfde mensen nog kans genoeg voedsel te produceren om ons te voeden. 'Gekken kunnen toch niet behoorlijk werken, of wel soms?' hoonde moeder dan. En Lalla Mani gaf onmiddellijk terug dat je, als je door een djinn bezeten was, alle besef van hoedoed verloor, de grenzen tussen goed en kwaad, tussen haram en halal. 'Vrouwen die door djinns bezeten zijn springen hoog in de lucht wanneer ze hun ritme horen,' zei ze, 'ze schudden schaamteloos met hun lichaam en hun armen en benen vliegen boven hun hoofd.'

Mina herinnerde zich brokstukken van haar moedertaal, maar dat waren meestal liedjes waaraan noch zijzelf noch iemand anders een touw kon vastknopen. Soms ook wist Mina zeker dat de drummuziek van de djinns die tijdens de *hadra's*, de exatische dansen, gespeeld werd, op het ritme leek dat ze als kind had meegemaakt. Op andere momenten was ze daar weer niet zo zeker van. Maar ze kon bomen, vruchten en dieren beschrijven die niemand in Fes ooit gezien had. Soms kwamen we die tegen in de verhalen van tante Habiba, vooral wanneer we door de woestijn trokken met een karavaan, op weg naar Timboektoe, en dan vroeg Mina tante Habiba daar meer over te vertellen. Tante Habiba, die niet kon lezen en schrijven en die haar informatie had verzameld door aandachtig te luisteren als haar man hardop voorlas uit boeken over geschiedenis en literatuur, riep dan Sjama te hulp. Die rende naar boven en kwam terug met het reisverhaal van Ibn Battoeta of met een naslagwerk van Arabische geografen. Dan zocht ze Timboektoe op en las bladzijden achter elkaar voor, om Mina in contact te brengen met haar kindertijd. Mina zat dan de hele tijd stil te luisteren, maar soms vroeg ze een bepaalde passage vele malen voor te lezen, vooral beschrijvingen van een markt of een woonwijk. 'Misschien kom ik iemand tegen die ik ken,' schertste ze, met een hand voor haar mond om haar verlegen glimlach te verbergen. 'Misschien loop ik mijn zus of broer tegen het lijf. Of misschien word ik herkend door een vriendin uit mijn jeugd.' En dan excuseerde ze zich dat ze het verhaal onderbrak. Mina was maqtoea, oud en arm, maar ze gaf veel warmte en hanan. Hanan is zo'n goddelijk geschenk, het borrelt op als een fontein, sproeit tederheid overal om zich heen, waarbij het er niets toe doet hoe de ontvanger zich gedraagt en of zij of hij wel binnen Allahs hoedoed blijft. Alleen heiligen en andere bevoorrechte schepselen gaven hanan, en daar was Mina er één van. Zij toonde nooit enige boosheid, behalve als er een kind werd geslagen.

Eenmaal per jaar danste Mina, tijdens de *Moeloed*, de geboortedag van de Profeet, Allah zegene hem en schenke hem vrede! Tijdens dat feest vonden er overal in de stad rituelen plaats, van het uiterst officiële maar prachtige religieuze gezang door de mannen in het schitterende heiligdom van Moelay Idris, tot de twijfelachtig hadra, de extatische dans in de woonwijken. Mina nam deel aan de rituelen die georganiseerd werden in het huis van Sidi Bilal, de meest vermaarde en succesvolle djinn-uitdrijver van de hele streek rond Fes. Net als Mina kwam hij oorspronkelijk uit de Soedan, en was hij zijn leven in Marokko als ontwortelde slaaf begonnen. Maar hij was zo goed in het temmen van djinns dat zijn eigenaars zaken met hem begonnen te doen. Niet iedereen kon ook zomaar de ceremoniën in het huis van Sidi Bilal meemaken – je moest een uitnodiging hebben.

Zowel slaven als vrijgeborenen konden door djinns bezeten zijn, zowel mannen als vrouwen. Maar de djinns leken toch vaker machtelozen en armen te recruteren, en de armen waren hun meest betrouwbare volgelingen. 'Voor de rijken is de hadra meer een soort amusement,' legde Mina uit, 'terwijl het voor vrouwen als mij een van de weinige gelegenheden is om te ontsnappen, om anders te zijn, om te reizen.' Voor een zakenman als Sidi Bilal was het natuurlijk van het grootste belang dat er zo nu en dan vrouwen van aanzienlijke families bij hem kwamen, met kostbare geschenken. Iedereen beschouwde hun aanwezigheid en gulheid als een uiting van vrouwensolidariteit, en hun steun was dringend nodig. De nationalisten waren tegen extatische dansen en noemden ze strijdig met de islam en de sjaria, de religieuze wet. En omdat alle hoofden van aanzienlijke families de nationalistische opvattingen aanhingen, moesten de vrouwen in het diepste geheim Sidi Bilals hadra bijwonen. Ook Mina ging in het geheim naar de hadra, want vader en oom waren het van ganser harte eens met de nationalisten, maar alle vrouwen en kinderen in huis wisten ervan, en we waren bijna allemaal wel eens met haar mee geweest. Je moest altijd een vriendin bij je hebben als je naar een hadra ging, want na uren springen en zingen viel je soms flauw van moeheid. Omdat Mina zo populair was, noemde de hele binnenplaats zich haar vriendin. Maar afgezien van die vriendschap werden we allemaal onweerstaanbaar aangetrokken tot deze kennelijk subversieve ceremonie, waarbij vrouwen dansten met hun ogen dicht, terwijl hun lange haren alle kanten op fladderden, alsof alle bescheidenheid en lichamelijke dwang van hen was afgevallen. Zelfs wij kinderen slaagden erin om mee te komen, door te dreigen dat we alles aan vader of oom zouden vertellen. Het chanteren van de volwassen vrouwen gaf ons veel macht, en verzekerde ons van het recht aan bijna elke verboden ceremonie mee te doen.

Het huis van Sidi Bilal was even groot als het onze, al had het niet onze luxe marmeren vloeren en ons overvloedige houtsnijwerk. Als de hadra begon, zaten honderden vrouwen, allemaal zorgvuldig gekleed en opgemaakt, keurig in rijen op matrassen langs de vier muren van de binnenplaats. Arm in arm omringden ze hun *meriaha*, de vrouw die geen weerstand kon bieden aan de *rih*, het ritme dat haar tot dansen dwong. Sidi Bilal zelf stond in het centrum van de binnenplaats, in zijn golvend groene gewaad, met zijn saffraan-kleurige tulband en muilen, midden in een mannenorkest dat op drums, genbri's (een soort luiten) en cymbalen speelde.

De vier vertrekken rond de binnenplaats werden bezet door de vrouwen uit de rijkste families, degenen die de duurste geschenken hadden meegebracht en niet dansend gezien wilden worden, maar de armere vrouwen zaten op de binnenplaats. Kostbare zilveren dienbladen met theeglazen van veelkleurig Boheems kristal en bronzen samovars waar-in het dampende water siste, werden gereed gemaakt in de vier hoeken van de binnenplaats en in alle salons, en dan kregen wij het verzoek ons niet meer te bewegen. De grond-regel die voor alle ceremoniën gold, religieus of profaan, was dat iedereen een plaats moest opzoeken en dan stil moest blijven zitten – reden waarom wij kinderen nauwe-lijks werden getolereerd. Omdat er meestal wel tien kinde-ren met Mina mee naar binnen glipten, had tante Habiba een eenvoudige maar onbuigzame regel ingesteld: ieder kind kon iemand kiezen om naast te zitten, maar als we op-stonden, rond begonnen te lopen, met de andere kinderen probeerden te praten of na de derde waarschuwing nog steeds niet bleven zitten, dan werd ons de deur gewezen. Ik had geen moeite met die regel want ik was passief en rustig, maar de arme Samir haalde nooit het einde van de ceremo-nie. Hij kon nog geen vijf minuten achtereen stil zitten. Op een keer schreeuwde hij zelfs beledigingen naar Sidi Bilal terwijl hij door tante Habiba naar de deur werd gebracht. Het jaar daarop moest ze een kleine tulband voor hem in el-kaar zetten om zijn krullen te verstoppen, zodat de ceremo-niemeester hem niet zou herkennen.

In het begin speelde het orkest van Sidi Bilal langzaam, zo langzaam dat de vrouwen met elkaar bleven praten alsof er niets gebeurde. Maar dan begonnen de drums plotseling een vreemd ritme te slaan, en dan sprongen alle meriaha's op, gooiden hun hoofdtooi en hun muilen weg, bogen door hun middel en lieten hun lange haren wild rondzwaaien. Ze draaiden hun hals heen en weer en leken daardoor ook langer te worden, alsof ze probeerden te ontsnappen aan iets dat hen beklemde. Soms gebaarde Sidi Bilal, geschrokken van het geweld van hun bewegingen en bang dat ze zichzelf zouden bezeren, naar zijn orkest dat ze het kalmer aan moesten doen. Maar vaak was het dan al te laat, de vrouwen negeerden de muziek en gingen in hun eigen onstuimige tempo door, als om aan te geven dat de ceremoniemeester de zaak niet meer in de hand had. Het was alsof de vrouwen zich opeens van alle uiterlijke dwang bevrijd hadden. Velen hadden een vage glimlach op hun gezicht, en met hun half-gesloten ogen maakten ze soms de indruk dat ze uit een betoverende droom oprezen. Aan het eind van de ceremonie stortten de vrouwen neer op de grond, volkomen uitgeput en half bewusteloos. Dan namen hun vriendinnen hen in hun armen, feliciteerden hen, gooiden rozenwater in hun gezicht en fluisterden geheime dingen in hun oor. Langzaam herstelden de danseressen zich en gingen terug naar hun plaats alsof er niets gebeurd was.

Mina danste langzaam, rechtop, terwijl haar hoofd slechts licht heen en weer zwaaide. Ze reageerde alleen maar op uiterst zachte ritmen, en zelfs dan danste ze uit de maat, alsof de muziek waarop zij danste van binnenuit kwam. Ik bewonderde dat, waarom weet ik nog steeds niet. Misschien was het omdat ik altijd van slow motion genoot en droomde van een leven dat één rustige, kalme dans was. Of misschien kwam het doordat Mina twee schijnbaar tegenstrijdige rollen wist te combineren: dansen met een groep, maar ook vasthouden aan je eigen afwijkende ritme. Ik wilde net zo dansen als zij, samen met de anderen, maar ook op mijn eigen geheime muziek die uit een mysterieuze bron diep in mij kwam en sterker was dan de drums. Sterker, en toch zachter en bevrijdender. Op een keer vroeg ik Mina hoe het kwam dat zij zo soepel danste, terwijl de meeste andere vrouwen abrupte, krampachtige bewegingen maakten, en zij zei dat veel vrouwen bevrijding met opwinding verwarden. 'Sommige vrouwen zijn kwaad en ontevreden over hun leven,' zei ze, 'en dan wordt zelfs hun dans daar een uitdrukking van.' Boze vrouwen zijn de gevangenen van hun woede. Zij kunnen er niet aan ontsnappen en zichzelf bevrijden, en dat is werkelijk een droevig lot. De ergste gevangenis is de zelf gemaakte.

De legende wilde dat de mannen van het orkest bij de hadra allemaal geacht werden zwart te zijn. Deze musici, zei de legende, kwamen uit een legendarisch rijk dat Gnawa heette, en dat zich uitstrekte voorbij de Sahara en voorbij de rivieren, helemaal naar het zuiden, tot in het hart van de Soedan. Toen zij naar het noorden waren gekomen hadden ze niets anders bij zich dan hun betoverende, onweerstaanbare ritmen en liederen, en hun meest geliefde stad in Marokko was Marrakesj, de open deur naar de woestijn.

Iedereen zei dat Marrakesj, ook bekend als Al-Hamra of de Stad met de Rode Muren, in niets leek op Fes, dat te dicht bij de christelijke grens en de Middellandse Zee lag en door te veel bitter koude winterwinden werd geplaagd. Marrakesj daarentegen was volkomen afgestemd op de Afrikaanse luchtstromen, en wij hoorden er veel wonderbaarlijke dingen over. Weinigen op onze binnenplaats hadden Marrakesj ooit gezien, maar iedereen wist er een of twee mysterieuze dingen van.

De muren waren vlammend rood in Marrakesj, evenals de grond waarop je liep. Marrakesj was gloeiend heet, en toch schitterde er boven de stad, op de bergen van de Atlas, bijna altijd sneeuw. In oude tijden was Atlas namelijk een Griekse god geweest die in de Middellandse Zee woonde. Hij was een Titaan, die tegen andere reuzen vocht en op een dag een belangrijke slag verloor. Hij zocht een schuilplaats op de Afrikaanse kust, en toen hij ging slapen legde hij zijn hoofd in Tunesië en strekte hij zijn voeten uit tot in Marrakesj. Het 'bed' was zo heerlijk dat hij nooit meer wakker is geworden – hij werd een berg. Elk jaar werd Atlas maandenlang door sneeuw bezocht, en hij leek verrukt om te voelen dat hij met zijn voeten in de woestijn vastzat en knipoogde tegen de voorbijgangers vanuit zijn koninklijke gevangenschap.

Marrakesj was de stad waar zwarte en blanke legenden elkaar ontmoetten, talen versmolten en religies struikelden bij hun pogingen hun bestendigheid te bewijzen tegenover de ongestoorde stilte van het dansende zand. Marrakesj was de verwarring zaaiende plaats waar vrome pelgrims ontdekten dat het lichaam ook een god was, en dat de hele rest, inclusief verstand en ziel, en al hun autoritaire priesters en ijverige beulen, kon verbleken en verdwijnen wanneer de drums de lucht vulden. Reizigers zeiden dat de mensen dansten als ze door het verschil in taal niet met elkaar konden praten. Ik vond het een leuk idee, een stad die opging in dansen als woorden geen bruggen konden slaan. Dat gebeurde naar mijn idee ook op Sidi Bilals binnenplaats wanneer de vrouwen, verkwikt door de krachten van die oude beschavingen, al hun onoverwinnelijke verlangens uitdansten. De djinns kwamen uit verre, vreemde streken, namen bezit van de lichamen en begonnen vreemde talen tegen hen te spreken.

Soms merkte iemand een blanke drummer op in het zogenaamd uit louter Gnawa-zwarten bestaande orkest van

Sidi Bilal, en dan klaagden de weledelgeboren dames die voor de ceremonie betaald hadden. 'Hoe kun je Gnawa-muziek spelen en echte Gnawa-liederen zingen als je zo wit bent als een aspirientje?' schreeuwden ze dan, woedend op de waardeloze organisatie. Sidi Bilal probeerde hun dan uit te leggen dat soms ook als je blank was, de Gnawa-cultuur zijn stempel op je kon zetten en je zijn muziek en liederen kon leren. Maar de vrouwen waren onvermurwbaar: het orkest moest helemaal zwart en buitenlands zijn. Het was de zwarten in het orkest ook geraden om met een accent Arabisch te spreken, anders waren het misschien alleen maar plaatselijke zwarten die drum konden spelen. Dankzij eeuwenlang reizen en handel drijven dwars door de woestijn, woonden er in de medina van Fes honderden zwarten, die zich zouden kunnen voordoen als voorname buitenlandse bezoekers uit het prestigieuze rijk van de Gnawa. Een andere reden waarom dat niet kon, plaatselijke zwarten, was dat ze misschien de vrouwen nog wel om de tuin konden leiden, maar de buitenlandse djinns zeker niet. En dan zou de hele ceremonie haar doel, namelijk communiceren met de djinns in hun geheimzinnige talen, voorbijschieten. Was de dans niet een sprong in vreemde werelden? In elk geval hadden de vrouwen ook liever een echt Gnawa-orkest omdat ze het niet leuk zouden vinden als een of andere kerel uit de medina naar hen lonkte terwijl ze opgingen in hun dans. Ze traden liever op voor vreemdelingen, die niets wisten van de wetten en codes van de stad. Daarom was het voor alle betrokkenen een geluk dat de mannen van Sidi Bilals orkest meestal hun mond hielden als ze niet speelden, zodat de kwestie van het accent zich niet vaak voordeed.

Ondanks alle opwinding rond de jaarlijkse ceremonie in het huis van Sidi Bilal, stroomde Mina's leven meestal onopgemerkt voorbij. Ze deelde een klein kamertje op de bovenverdieping met drie andere oudere slavinnen, Dada Saada, Dada Rahma en Aisjata. Zij woonden allemaal allang in het huis voordat Samirs moeder en de mijne daar kwamen. Net als Mina hadden ze geen duidelijke relatie met de familie, maar waren ze in het huis terechtgekomen toen de Fransen het verbod op de slavernij hadden opgelegd. 'Pas toen de Fransen het slaven mogelijk maakten zelf een rechtszaak aan te spannen om hun vrijheid te herkrijgen,' zei Mina, 'en toen de slavenhandelaars gevangenisstraffen en boetes kregen, hield de slavernij uiteindelijk op. Pas als de rechter zich ermee bemoeit komt er een eind aan het geweld.'[26]

Maar na hun vrijlating waren veel slavinnen, zoals Mina, te zwak om te vechten, te verlegen om te verleiden, te ademloos om te protesteren en te arm om naar hun geboorteland terug te keren. Of te onzeker over wat ze daar zouden aantreffen. Het enige dat ze wilden was een rustige kamer om zich in uit te strekken en de jaren voorbij te laten glijden. Een plek waar ze de zinloze opeenvolging van dagen en nachten konden vergeten en konden dromen van een betere wereld waarin geweld en vrouwen gescheiden wegen gingen. Maar terwijl Dada Saada, Dada Rahma, Aisjata en de meeste andere vrouwen die op de bovenverdiepingen woonden, in hun kamer bleven, gedijde Mina op het terras. Omdat ze nooit geheimen doorvertelde (en in feite hoe dan ook nauwelijks praatte, behalve met ons kinderen), had ook niemand last van haar aanwezigheid – noch de jonge mannen die naar boven slopen om een glimp van de buurmeisjes op te vangen, noch de vrouwen die daar boven toverkaarsen kwamen aansteken of, nog erger, de zondige, uiterst zeldzame Amerikaanse sigaretten kwamen roken die ze uit de zak van Zin of Djawad hadden gestolen, noch de kinderen die zich verstopten in de verboden olijfkruiken.

Die kruiken waren mijn eigen geheime verslaving. Velen

maakten zich zorgen over die morbide fascinatie van mij, en het kwam zelfs tot een familieraad op hoog niveau. Maar toen grootmoeder Lalla Mani, die als voorzitter optrad, mij vroeg waarom ik de afschuwelijke behoefte voelde in die enorme donkere, lege olijfkruiken te kruipen, deed ik mijn mond niet open. Ik heb nooit verteld dat het te maken had met Mina's kidnapping, want anders zou zij de schuld hebben gekregen. Mina was ongelooflijk populair bij ons kinderen, zo populair dat moeders haar hulp inriepen als ze problemen met hun zonen of dochters hadden. Ik hield erg veel van haar en wilde niet dat zij in moeilijkheden kwam, vooral omdat ze al zoveel ellende had meegemaakt toen ze nog maar nauwelijks zo oud was als ik. Want je moet weten dat ze op een dag was gekidnapt toen ze buiten liep, net iets verder van huis dan ze meestal deed. Een grote hand greep haar en het volgende moment was ze op weg, samen met andere kinderen en twee woeste kidnappers die dreigend met lange messen zwaaiden.

Mina herinnerde zich nog maar al te goed hoe het allemaal gegaan was – hoe de kidnappers haar en alle andere kinderen overdag verborgen hielden, en in de schemering, als de zon onderging, weer voortjoegen. Ze liepen ver naar het noorden, dwars door haar geliefde, vertrouwde bos, totdat er alleen nog maar duinen van wit zand waren, waar niets meer groeide. 'Als je de Sahara nog nooit hebt gezien,' zei Mina, 'kun je je er geen voorstelling van maken. Daar kun je zien hoe machtig Allah is – hij heeft ons beslist niet nodig! Een mensenleven is zo nietig in de woestijn, waar alleen zandduinen en sterren kunnen overleven. Het verdriet van een klein meisje is daar volkomen onbeduidend. Maar juist toen ik door dat zand trok ontdekte ik dat er nog een ander meisje in mij school. Een meisje dat sterk was en vastbesloten om te overleven. Toen werd ik een andere Mina. Ik realiseerde mij dat de hele wereld tegen mij was, en dat iets goeds uitsluitend vanuit mezelf kon komen.'

Haar zwarte kidnappers, die haar moedertaal spraken, werden al gauw vervangen door mannen met een lichte huid, die vreemde, voor haar onbegrijpelijke woorden spraken.[27] 'Voorheen dacht ik dat de hele planeet ons dialect sprak,' zei Mina. 's Nachts reisde de groep in stilte, en regelmatig ontmoetten ze op een specifieke afgesproken plaats vrienden van de kidnappers, van wie ze eten kregen en die hen verborgen hielden tot de volgende zonsondergang. Ze begonnen altijd te lopen wanneer de zandduinen in de duisternis verdwenen, en ze kwamen bijna nooit iemand tegen. De Franse buitenposten die hier en daar in de bezette woestijn verspreid lagen, moesten tot elke prijs vermeden worden, want slavenhandel was al onwettig verklaard.

Op een dag staken ze een rivier over, en om een of andere vreemde reden dacht Mina dat haar oude geliefde bos aan de horizon verscheen. Ze vroeg aan een ander meisje dat uit haar dorp was weggehaald of zij het bos ook zag, en het meisje knikte. Ze dachten allebei dat hun kidnappers als door een wonder verdwaald waren en dat ze weer naar huis gingen. Of dat hun dorp bezig was naar hen toe te komen. Wat het ook was, het deed er niet toe, die nacht vluchtten de twee kleine meisjes, alleen maar om een paar uur later weer gevangen te worden. 'Je moet in het leven oppassen,' zei Mina, 'dat je je wensen niet met de werkelijkheid verwart. Wij deden dat wel, en we moesten ervoor boeten.'

Als Mina met haar verhaal op dit punt was aangekomen, trilde haar stem, en iedereen om haar heen begon te huilen van verdriet, vooral als ze de details vertelde. 'Ze maakten de emmer van de waterput los van het touw,' zei ze, 'en zeiden dat ik, als ik het er levend af wilde brengen, het uiteinde van dat touw stevig moest vasthouden en me in stilte moest concentreren terwijl ze mij in de donkere put lieten zakken. Het afschuwelijke was dat ik niet eens kon trillen van angst, want als ik dat deed, zou het touw uit mijn vingers schieten, en dan zou het met me gedaan zijn.' Dan zweeg Mina en snikte zachtjes. Daarna droogde ze haar tranen en ging verder, terwijl haar publiek discreet bleef huilen. 'Ik huil nu,' zei ze dan, 'omdat ik nog steeds zo kwaad ben dat ze me niet de kans gaven om bang te zijn. Ik wist dat ik zo meteen het diepste, donkerste punt van de put zou bereiken, waar water was, maar dat doodsbange gevoel moest ik onderdrukken. Ik moest dat doen, anders zou mijn greep verslappen, dus ik bleef me concentreren op het touw en op mijn vingers daaromheen. Naast mij was een ander meisje, een andere Mina, die verging van angst terwijl haar lichaam bijna het koude donkere water vol slangen en glibberige dingen raakte, maar ik moest mezelf van haar losmaken om me te concentreren op het touw. Toen ze me uit die put haalden, was ik dagenlang blind, niet omdat ik niet kon zien, maar omdat ik geen belangstelling meer had voor de wereld.'

In *Duizend-en-één-nacht* kwamen veel verhalen voor van ontvoeringen door slavenhandelaars. Veel van de heldinnen begonnen hun leven als prinses, maar werden gekidnapt en als slavin verkocht wanneer de koninklijke karavaan waarmee ze de pelgrimstocht naar Mekka maakten, werd aangevallen.[28] Maar geen van die verhalen maakte zo'n indruk op mij als Mina's beschrijving van haar afdaling in de put. Toen ik dat verhaal voor het eerst had gehoord kreeg ik nachtmerries, maar als moeder mij in haar armen nam en me in haar bed legde, vertelde ik haar nooit wat me zo bang had gemaakt. Zij en vader hielden me stevig vast en kusten mij en probeerden erachter te komen wat er aan de hand was en waarom ik niet kon slapen. Maar ik vertelde hun niets van de put, uit angst dat ik niet meer naar Mina's geschiedenis zou mogen luisteren. En ik wilde die geschiedenis steeds maar weer horen, zodat ook ik door de woestijn kon trekken en veilig bij het terras kon aankomen. Het was van groot belang om met Mina te praten, want ik moest alle bijzonderheden weten. Ik moest meer weten – ik moest weten hoe je uit de put kon komen.

Men was het er namelijk in ons huis niet over eens wat kinderen wel en niet mochten horen. Veel familieleden, Lalla Mani bijvoorbeeld, vonden verhalen over geweld slecht voor kinderen. Anderen zeiden: hoe eerder ze ervan horen, des te beter. Dit tweede kamp zei dat het voor kinderen belangrijk was om te leren hoe ze zichzelf konden beschermen, hoe ze konden ontsnappen, hoe ze konden voorkomen dat ze verlamd raakten van angst. Mina behoorde tot het tweede kamp. 'Toen ik die put in ging,' zei ze, 'leerde ik dat je, als je in moeilijkheden bent, met al je energie moet denken dat er een uitweg is. Dan wordt de bodem, het donkere gat, gewoon een springplank van waaraf je zo hoog kunt springen dat je hoofd de wolken raakt. Begrijp je wat ik bedoel?'

Ja Mina, dacht ik, ik begrijp wat je bedoelt, ik begrijp het heel goed. Ik moet alleen maar leren zo hoog te springen dat ik de wolken raak.

Ik zal de levensreddende sprongen leren door in de olijfkruiken te kruipen, me te trainen en gereed te zijn voor de grote angsten die me te wachten staan.

Ik zal leren hoe ik kan stralen zoals jij, ondanks alles, met je rug tegen de westmuur, met je gezicht naar Mekka, en met hanan, die altijd stromende tederheid.

'Ik weet zeker dat Mekka alles afweet van de put en de kidnappers, denk je niet Mina?' zei ik op een dag tegen haar. 'Allah heeft vast al die mensen die jou pijn gedaan hebben, ge-

straft. Dat móet Allah wel gedaan hebben, en ik hoef nooit meer bang te zijn hè?'

Mina was erg optimistisch en zei dat er inderdaad voor mij geen enkele reden was om bang te zijn. 'Het leven ziet er nu voor vrouwen goed uit,' zei ze. 'De nationalisten eisen onderwijs voor vrouwen, en het einde van de afzondering. Want weet je, het probleem van vrouwen nu is dat ze machteloos zijn. En machteloosheid komt voort uit onwetendheid en gebrek aan ontwikkeling. Jij wordt een machtige vrouw, nietwaar? Ik zou het zo erg vinden als je dat niet werd. Concentreer je maar op dat kleine cirkeltje hemel dat boven de put hangt. Er is altijd een klein stukje hemel waarheen je je hoofd kunt opheffen. Kijk niet naar beneden, kijk omhoog, omhoog, en daar gaan we! Op vleugels!'

Nadat ik Mina het verhaal van haar ontsnapping uit de put telkens weer had laten vertellen en zelf min of meer regelmatig in de donkere olijfkruik was gekropen, vergat ik mijn angsten, en mijn nachtmerries verdwenen. Ik ontdekte dat ik een tovenares was. Ik hoefde slechts mijn blik op de hemel te richten, hoog te mikken, en alles zou goed komen. Kleine meisjes kunnen monsters verrassen, ook al zijn ze klein. In feite fascineerde dat mij het meest in Mina's verhaal: hoe ze haar kidnappers verraste: ze verwachtten dat ze zou gaan schreeuwen, maar dat deed ze niet. Dat vond ik zo slim, en ik vertelde Mina dat ook ik een monster kon verrassen als het nodig was. Ja, zei Mina, maar dan moet je het eerst heel goed kennen. Zij had haar kidnappers een hele tijd gadegeslagen, want de tocht had weken geduurd.

Mina zei dat je, als je vastzat in een put, altijd de keuze had om of het monster te behagen door naar beneden te kijken en te schreeuwen, of het te verrassen door naar boven te kijken. Als je het wilde behagen, keek je naar beneden en dacht je aan alle slangen en andere koude, langzaam bewegende schepselen die daar beneden over elkaar heen kropen en op jou loerden. Maar als je het monster wilde verbazen, vestigde je je ogen op dat kleine stipje hemel zonder een kik te geven. Dan zou de folteraar die van bovenaf naar je keek, je ogen zien en bang worden. 'Dan denkt hij dat je een djinn bent, of twee sterretjes die schitteren in het donker.'

Dat beeld van Mina, die kleine Mina, die bange hummel, verloren in de woestijn te midden van vreemde mannen, die zichzelf verandert in twee schitterende sterren, dat beeld heb ik nooit meer vergeten. Het was een visioen dat me toen achtervolgde en me ook vandaag nog achtervolgt, en altijd wanneer ik de stilte weet te vinden die nodig is om het mij voor de geest te halen, wellen er energie en hoop op uit mijn binnenste. Maar eerst moest ik mezelf trainen om uit de put te komen, en een tijdlang was het mijn favoriete spel om in donkere, lege olijfkruiken te kruipen. Ik kon er echter alleen maar van genieten als er een volwassene in de buurt was, want Samir vond het voor een kinderspel te gevaarlijk.

Ik was altijd zo blij als Mina mij uit de put had geholpen, dat ik dwangmatig steeds de put weer in ging door in zo'n enorme donkere, lege olijfkruik te kruipen. Wij kinderen gebruikten die kruiken om verstoppertje te spelen, hetzij door erachter te gaan zitten en onszelf onzichtbaar te maken, hetzij door erin te kruipen omdat we echt angst wilden voelen. Maar als je erin kroop, liep je het gevaar er niet meer uit te kunnen. Dan had je de hulp van een volwassene nodig. Mina, die praktisch op het terras woonde, met haar rug tegen de westmuur, zat altijd in stilte naar ons morbide spel te kijken, in afwachting van de volgende ramp. En als je dan om hulp begon te roepen, stond ze op en kwam naar je kijken. 'Kun je niet wachten tot de angst op jou afkomt,' zei ze dan, 'in plaats van hem tegemoet te rennen? Nou, stil maar, geen paniek. Ik heb je er zo uit.' En dan moest je je gewoon ontspannen en normaal proberen te ademen, met je ogen gericht op het kleine cirkeltje blauwe hemel boven je. Al gauw hoorde je dan voeten over de vloer van het terras schuifelen, en Mina's stem die reddingsinstructies fluisterde tegen Dada Saada, Dada Rahma en Aisjata. Vervolgens kwam er een mini-aardbeving, de kruik werd op zijn kant gerold en je krabbelde eruit.

Telkens als Mina mij eruit had geholpen, vloog ik haar om de hals en knuffelde haar enthousiast. 'Je moet me niet zo stijf vasthouden, mijn hoofdtooi gaat los,' zei ze dan. 'En wat zou er nou gebeurd zijn als ik in de badkamer was geweest of had zitten bidden, hè?' Dan verborg ik mijn hoofd in haar nek en zwoer dat ik nooit meer in een olijfkruik zou kruipen. Zodra ik zag dat ze ontdooide en mij met de punten van haar tulband liet spelen, waagde ik haar een gunst te vragen: 'Mina, mag ik op je schoot zitten en luisteren naar hoe je uit de put ontsnapte?'

'Maar dat heb ik je al honderdmaal verteld. Wat is er met je aan de hand? Je weet er alles van: een meisje heeft, hoe klein ze ook is, voldoende energie in zich om folteraars te trotseren, om moedig en geduldig te zijn, en om geen tijd te verspillen met beven en schreeuwen. Ik heb je verteld dat de kidnapper verwachtte dat ik zou gaan roepen en schreeuwen. Maar toen hij geen geluid hoorde en twee schitterende sterren op hem gericht zag, haalde hij me onmiddellijk weer op. Een uitdagende stilte en een kalme blik had hij niet verwacht. Hij dacht dat ik zou gaan brullen. Maar dat weet je allemaal allang!' Dan zwoer ik dat het de laatste keer was dat ik het verhaal weer wilde horen, en dat ik voorgoed genoeg had van die kruiken.

Tot aan de volgende keer.

18
Amerikaanse sigaretten

Spelen met olijfkruiken was niet de enige illegale activiteit die op het terras plaatsvond. Volwassenen begingen er ernstiger misdaden, zoals kauwgum kauwen, rode nagellak opdoen en sigaretten roken, al gebeurden die laatste twee dingen zelden, alleen al omdat het zo moeilijk was om aan dat soort vreemde zaken te komen. Wat vaker voorkwam was het branden van betoverde kaarsen voor het krijgen van *qboel* (sex-appeal), het kortknippen van je haar om er zo uit te zien als de Franse actrice Claudette Colbert, of het voorbereiden van ontsnappingen naar de buitenwereld, bijvoorbeeld om een nationalistische bijeenkomst bij iemand thuis of in de Qarawiyyin-moskee mee te maken. Omdat wij kinderen alle volwassen overtreders problemen met vader, oom en Lalla Mani konden bezorgen door hun te vertellen wat we zagen, werden we uiterst toegeeflijk behandeld en hadden we een buitengewoon comfortabele positie op het terras. Geen enkele volwassene kon ons de wet voorschrijven zonder dat wij gingen dreigen dat we de autoriteiten zouden informeren. En inderdaad leunden de autoriteiten zwaar op ons als ze vermoedden dat er iets verdachts aan de gang was, want zij waren ervan overtuigd dat 'kinderen de waarheid vertellen.' Alle overtreders gaven ons dus een VIP-behandeling, overlaadden ons met koekjes, geroosterde amandelen en sfindj, en vergaten nooit ons vóór ieder ander onze thee aan te reiken.

Mina sloeg dat alles zwijgend gade en verdubbelde haar

gebeden om al onze zielen te redden. De meeste moeite had ze met het feit dat de jonge mannen van het huis naar het terras kwamen om naar de meisjes van de familie Bennis te kijken. Dat vond zij zeer zondig, een gevaarlijke schending van de hoedoed. Weliswaar bleef de jeugd van beide huizen op zijn eigen terras, maar vaak zongen ze zo luid liefdesliederen dat hun buren het konden horen. Sjama danste ook, evenals de buurmeisjes, en daarmee schiepen ze momenten waarop tienerliefde en geluk in het rond zweefden en de zonsondergang een rode, romantische nevel werd. Het ergste voor Mina was echter het feit dat de jongens en meisjes vanaf het terras niet alleen naar elkaar keken, maar ook liefdesblikken wisselden.

Een liefdesblik was dat je naar een man keek met je oogleden halfdicht, alsof je bijna in slaap viel. Sjama was daar erg goed in, en ze kreeg al talloze huwelijksaanzoeken van veelbelovende zonen van vooraanstaande nationalistische families, die een glimp van haar hadden opgevangen terwijl ze 'Maghriboena watanoena' (Ons Marokko, ons vaderland) zong bij demonstraties op straat of bij de feesten in de Qarawiyyin-moskee als de Fransen politieke gevangenen hadden vrijgelaten. Malika zei dat ze mij de liefdesblik wel wilde leren als ik beloofde haar een flink deel van mijn koekjes, amandelen en sfindj te geven. Malika zelf kreeg al heel wat aandacht van de jongens op de koranschool, en ik wilde haar geheim maar wat graag leren kennen. Uiteindelijk zei ze, toen ik aandrong, vaag dat ze twee dingen combineerde: een liefdesblik en het in stilte opzeggen van een qboel-formule uit een middeleeuws toverboek, die geacht werd voor eeuwig het hart van de man naar wiens liefde je verlangde te betoveren.[29] Het interesseerde mij allemaal buitengewoon, en ik probeerde Samirs belangstelling ook te wekken zodat hij stiekem een van Sjama's boeken zou 'lenen', maar hij klaagde dat ik me veel te veel verdiepte in dat nieuwe schoonheids- en liefdesgedoe, en al onze andere plannen en spelletjes verwaarloosde. Ik besefte dat Malika mijn enige kans was om aan de voor mij vitale informatie over schoonheid en sex-appeal te komen, waarvoor ik me met de dag meer ging interesseren. Toch wilde ik haar niet de indruk geven dat ik wanhopig was, en daarom zei ik dat ik over die koekjes zou nadenken.

De volwassenen op het terras behandelden Samir en mij altijd alsof we niets van liefde en baby's wisten. Ze behandelden ons ook alsof we niet wisten hoe belangrijk het was jezelf mooi te maken om de liefde van de andere sekse te winnen. Malika vertelde ons ook een paar keer dat liefde allesbehalve eenvoudig was, en ik luisterde met aandacht wanneer ze de fijne kneepjes schetste, terwijl ik me de hele tijd afvroeg of ze niet gewoon bezig was mij onder druk te zetten inzake die koekjes. Volgens haar was het niet zo moeilijk om te zorgen dat iemand verliefd op je werd, maar wel om die liefde te laten voortduren. Want liefde heeft vleugels, ze komt en gaat. Op dat moment besloot ik dat ik de zaken eenvoudig wilde houden en me zou concentreren op de verleiding aan het begin. Dat bestendigen van de liefde kwam dan later wel.

Een vrouw moest twee dingen doen om de liefde van een man te winnen. Het ene was tovenarij: ze moest bij volle maan een kaars opsteken en een bezwering zingen die alle meisjes vroeg of laat leerden. Het tweede was een ingewikkeld proces dat eeuwig duurde: ze moest zichzelf mooi maken. Ze moest haar haren verzorgen, haar huid, haar handen, haar benen en o, ik weet wel zeker dat ik nog iets vergeet. In elk geval zei tante Habiba dat er geen haast bij was; ik had nog tijd genoeg om schoonheidstechnieken te leren.

Ik wist al wat ik moest doen om mooi haar te krijgen,

want moeder had vastgesteld dat het mijne verschrikkelijk was. Het krulde en was onhandelbaar, en het was veel meer dan voor een meisje fatsoenlijk werd geacht. Dus eenmaal per week legde moeder twee of drie verse tabaksbladeren, met veel moeite uit de Rif gesmokkeld, waar het op grote velden groeide, in een halve kop kokende olijfolie. (Als je niet aan verse bladeren kon komen, kon je ook droge snuiftabak gebruiken.) Ze liet de kokende olie even staan met de tabak erin, verdeelde dan mijn haar geduldig in dunne strengen en wreef de olie erin. Vervolgens vlocht ze mijn haar en maakte het bovenop mijn hoofd vast zodat mijn kleren niet vuil werden, en ik mocht niemand omhelzen of kussen tot het tijd was om naar de hammam te gaan. Daar loste moeder henna op in heet water en wreef het overal in mijn haar voordat ze alles weer wegwaste. Moeder zei dat je niet veel kon verwachten van een vrouw die haar haar niet verzorgde, en ik wilde nou juist dat mensen veel van mij verwachtten.

Het wegwassen vond ik het leukste, want als je naar de hammam ging was het alsof je op een warm, mistig eiland kwam. Ik leende dan moeders kostbare Turkse zilveren kom, ging op haar Syrische krukje van hout en parelmoer zitten, en waste mijn haar zoals zij dat deed. Ik gebruikte de kom om water te scheppen uit de emmer met warm water uit de gigantische fontein, en goot het water over mijn hoofd. Ik hield er pas mee op als moeder andere mensen hoorde schreeuwen dat de henna overal heen spatte, ook in de ogen van mijn naaste buren. Maar als ik de hammam verliet, schonk ik nooit enige aandacht aan degenen die mij gekleineerd hadden, en ik wandelde weg met het gevoel dat ik net zo mooi was als prinses Boedoer.

Het was zo'n feest om naar de hammam te gaan, met zijn witmarmeren vloeren en zijn glazen plafond, dat ik op een dag, terwijl ik zat te spetteren, besloot dat ik er zelf altijd een in mijn buurt wilde hebben als ik volwassen was, en dat gold ook voor mijn geliefde terras. De hammam en het terras waren de plezierigste aspecten van het haremleven, zei moeder, de enige twee dingen die het waard waren om behouden te blijven. Zij wilde dat ik hard studeerde zodat ik een diploma haalde en een belangrijk iemand werd, en een huis voor mezelf kon bouwen met een hammam op de eerste en een terras op de tweede verdieping. Ik vroeg me af waar ik dan moest wonen en slapen, en zij zei: 'Op het terras natuurlijk! Je kunt een demonteerbaar glazen plafond nemen voor als je gaat slapen of als het koud is. De christenen vinden allemaal nieuwe dingen uit, tegen de tijd dat jij volwassen bent kun je glazen huizen kopen met demonteerbare plafonds.' Gezien vanuit de harem leken de mogelijkheden om het leven te veraangenamen eindeloos: muren zouden verdwijnen en huizen met glazen plafonds zouden ervoor in de plaats komen. Gevangen achter muren liepen vrouwen te dromen van een horizon zonder grenzen.

Maar nu terug naar de kauwgum en de sigaretten. Wij kinderen gaven niet veel om de sigaretten, maar we hielden wel van de duivels lekkere kauwgum. We kregen echter zelden een stukje, want de volwassenen hielden de kauwgum voor zichzelf. Onze enige kans was betrokken te raken bij een of andere clandestiene operatie, bijvoorbeeld als Sjama ons vroeg een brief van haar vriendin, Wasila Bennis, te gaan halen. Samir en ik wisten dat die brieven in werkelijkheid geschreven werden door Wasila's broer Sjadli. Sjadli was verliefd op Sjama, maar wij werden geacht dat niet te weten. In elk geval zagen vader en oom niet graag dat er te veel verkeer was tussen onze twee huizen, zowel omdat de Bennis veel zonen hadden als omdat mevrouw Bennis van Tunesische of Turkse afkomst was en dus uiterst gevaarlijk.

Zij bracht de revolutionaire ideeën van Kemal Atatürk in praktijk,[30] reed ongesluierd rond in de zwarte Oldsmobile van haar man, net als een Franse vrouw, en haar platina geverfde haar was geknipt als dat van Greta Garbo. Iedereen was het erover eens dat ze eigenlijk niet tot de medina behoorde. Maar altijd als mevrouw Bennis naar de oude stad ging, en dat deed ze dikwijls, droeg ze volgens de traditie een djellaba en een sluier. Je kon wel zeggen dat mevrouw Bennis twee levens leidde: een in de Ville Nouvelle, de Europese stad, waar ze ongesluierd flaneerde, en een in de traditionele medina. Dit idee van een dubbelleven vond iedereen spannend, en het maakte mevrouw Bennis beroemd.

Het was veel aantrekkelijker om in twee werelden te leven dan in slechts één. Iedereen was verrukt van de gedachte dat je kon pendelen tussen twee culturen, twee persoonlijkheden, twee codes en twee talen! Moeder wilde dat ik zo zou worden als prinses Aisja, de tienerdochter van onze koning Mohammed v, die openbare toespraken hield in het Arabisch én in het Frans, en zowel lange kaftans als korte Franse jurken droeg. De gedachte dat je tussen verschillende codes en talen heen en weer kon gaan was voor kinderen even fascinerend als het openen van toverdeuren. Ook de vrouwen vonden het prachtig, maar de mannen niet. Zij vonden het gevaarlijk, en vooral vader hield niet van mevrouw Bennis, omdat ze volgens hem maakte dat overtredingen iets normaals gingen lijken. Ze stapte al te gemakkelijk van de ene cultuur over naar de andere, zonder enig respect voor de heilige grens. 'En wat zou dat?' vroeg Sjama. Vader antwoordde dat de grens de culturele identiteit beschermde, en dat er nog maar één cultuur over zou blijven als Arabische vrouwen de Europese gingen imiteren door zich provocerend te kleden, sigaretten te roken of met onbedekte haren rond te lopen. Onze cultuur zou dan dood zijn. 'Als dat zo is,' redeneerde Sjama, 'waarom kunnen mijn neven dan wel als evenzovele Rudolph Valentino's rondlopen, met hun haar geknipt zoals Franse soldaten, zonder dat iemand tegen hen schreeuwt dat onze cultuur op het punt staat te verdwijnen?' Op die vraag gaf vader geen antwoord.

Vader, een pragmatisch man, was ervan overtuigd dat de dodelijkste bedreiging niet van de westerse soldaten kwam, maar van hun hoffelijke kooplieden die met hun onschuldig lijkende producten leurden. Daarom organiseerde hij een kruistocht tegen kauwgum en koolsigaretten. Voor hem stond het roken van een lange, dunne, witte koolsigaret gelijk aan het uitroeien van eeuwen Arabische cultuur. 'De christenen willen onze fatsoenlijke moslimhuishoudens veranderen in een marktplein,' zei hij. 'Ze willen dat wij deze giftige producten kopen die zij maken en die geen enkel reëel doel dienen, zodat we veranderen in een hele natie van herkauwend vee. In plaats van tot Allah te bidden, stoppen de mensen de hele dag vuiligheid in hun mond. Ze worden weer baby's, die voortdurend iets willen hebben om op te sabbelen.' Omdat vader zo bleef hameren op het gevaar van sigaretten – ze waren erger dan de Franse en Spaanse kogels, zei hij – voelde ik me niet op mijn gemak bij het feit dat ik hem niets vertelde van de activiteiten op het terras. Ik wilde zijn vertrouwen niet beschamen. Hij was dol op mij en verwachtte van mij dat ik nooit loog. In feite waren er trouwens zelden sigaretten in huis, want het was erg moeilijk om eraan te komen. Noch de vrouwen noch de jonge mannen hadden veel contant geld, dus ze konden maar zelden iets kopen. Kopen en verkopen in de harem was een zaak van de volwassen mannen. De rest consumeerde gewoon wat er was. Wij hadden niet het privilege om te kiezen, te beslissen, te kopen. Dus als er iets gekocht werd, zelfs al waren het maar sigaretten, dan betekende dat dat er illegaal geld in omloop was. Ook dat was een reden waarom vader erachter probeerde te komen wie er verantwoordelijk was voor de contrabande.

Omdat geld zo schaars was, was er bijna nooit een heel pakje sigaretten op het terras. Meestal hadden de volwassenen maar één of twee sigaretten, en die werden gerookt door vijf of zes mensen. Dat was niet erg, want het ging om het ritueel, niet om de hoeveelheid. Eerst deed je de sigaret in een sigarettenpijpje, hoe langer hoe beter. Dan nam je het sigarettenpijpje tussen twee uitgestrekte vingers, sloot je ogen en nam een trekje, nog steeds met je ogen dicht. Dan deed je je ogen open en keek naar de sigaret tussen je vingers alsof het een magische verschijning was. Vervolgens gaf je hem aan degene die naast je zat, die hem weer gaf aan degene die naast haar zat, totdat de hele kring een trekje had genomen. O! Ik vergat bijna de stilte: de hele operatie moest zonder enig geluid worden uitgevoerd, alsof het genot je tong had verlamd. Soms imiteerden Samir, Malika en ik de volwassenen. We gebruikten dan een stokje in plaats van een sigaret, maar hoewel we zelfs de kleinste gebaren nadeden, de stilte konden we niet nadoen. Dat was voor ons het enige moeilijke deel van het ritueel.

De kauwgum en de sigaretten waren tot ons gekomen via de Amerikanen die voor het eerst in november 1942 op het vliegveld van Casablanca waren geland. Jaren na hun vertrek doken de Amerikanen nog steeds op in onze gesprekken, omdat alles wat hen betrof van het begin tot het eind een mysterie was. Ze waren uit het niets gekomen zonder dat iemand hen verwachtte, en hadden iedereen verrast tijdens hun korte verblijf in Casablanca. Wie waren die vreemde soldaten? En waarom waren ze gekomen? Noch Samir noch ik noch Malika konden deze mysteries ontraadselen. Het enige dat we zeker wisten was: de Amerikanen waren christenen, maar ze waren heel anders dan de gebruikelijke christenen die steeds uit het noorden kwamen om ons een afstraffing te geven. Je kunt het geloven of niet, de Amerikanen woonden niet in het noorden, maar op een of ander ver eiland in het westen, dat Amerika heette, en daarom waren ze per schip gekomen. De meningen over de manier waarop ze destijds op hun eiland terecht waren gekomen, liepen uiteen. Samir zei dat ze op een dag aan het spelevaren waren voor de Spaanse kust, en dat een golfstroom hen had overvallen en meegenomen. Malika zei dat ze erheen waren gegaan om goud te zoeken, verdwaald waren en besloten hadden zich daar te vestigen. In elk geval, de Amerikanen konden niet te voet overal heengaan zoals ieder ander, maar moesten vliegen of varen als ze zich verveelden of hun christelijke verwanten, de Spanjaarden en de Fransen, wilden bezoeken. Naaste verwanten konden het trouwens niet zijn. De Fransen en de Spanjaarden waren tamelijk klein en hadden een zwarte snor, terwijl de Amerikanen erg groot waren en duivelse blauwe ogen hadden. Volgens Hoesein Slawi, de zanger van volksliedjes uit Casablanca, hadden ze bij hun landing de bevolking van die stad de stuipen op het lijf gejaagd met hun gevechtsuniformen, hun schouders die tweemaal zo breed waren als die van de Fransen, en de snelheid waarmee ze meteen achter de vrouwen aangingen. Hoesein Slawi noemde zijn lied 'Al-ain az-zarga djana bi koell chir' (Die blauwogige kerels brachten allerlei zegeningen), en tante Habiba legde uit dat dat sarcastisch bedoeld was, omdat de mannen van Casablanca in werkelijkheid erg geschokt waren. Niet alleen joegen de Amerikanen op vrouwen wanneer ze er maar een vanaf de dokken in de gaten kregen, maar ook gaven ze hun allerlei giftige cadeautjes zoals kauwgum, handtassen, sjaals, sigaretten en rode lippenstift.

Iedereen zei dat de Amerikanen naar Marokko waren gekomen om iemand een afstraffing te geven, maar Samir en ik wisten niet wie. Sommigen zeiden dat ze voor de Alleman kwamen, die strijders die het op de Fransen gemunt hadden omdat de kleur van hun haar hun niet beviel. Naar het scheen hadden de Fransen de Amerikanen om hulp gevraagd bij hun strijd tegen de Alleman. Maar het probleem met die verklaring was dat er geen Alleman in Marokko waren! Samir, die vaak met oom en vader op reis ging, zwoer dat hij nergens in het koninkrijk Alleman had gezien.

In elk geval, iedereen was erg blij dat de Amerikanen niet waren gekomen om oorlog met ons te voeren. Sommigen zeiden zelfs dat de Amerikanen heel vriendelijk waren en zich voornamelijk bezighielden met sport, zwemmen, kauwgum kauwen en tegen iedereen 'o.k.' roepen. Hun groet was 'o.k.'; het was het equivalent van ons *al-salamoe alaikoem* (vrede zij met u). Eigenlijk stonden de twee letters o en k voor langere woorden, maar de Amerikanen hadden de gewoonte hun zinnen af te korten, zodat ze snel weer terug konden naar hun kauwgum. Het was alsof wij elkaar zouden begroeten met 's.a.' in plaats van met het volledige al-salamoe alaikoem.

Het andere punt dat ons bij de Amerikanen intrigeerde was dat er zwarten bij zaten. Je had Amerikanen met blauwe ogen, en je had zwarte Amerikanen, en dat verbaasde iedereen. Amerika lag zo ver van de Soedan, het hart van Afrika, en alleen in het hart van Afrika vond je zwarten, dat wist Mina zeker, en dat was iedereen met haar eens. Allah had aan alle zwarten één groot land gegeven met dichte wouden, wild stromende rivieren en prachtige meren, vlak onder de woestijn. Waar kwamen deze zwarte Amerikanen dan vandaan? Hadden de Amerikanen ook slaven, zoals de Arabieren vroeger? Je kunt het geloven of niet, maar toen wij dat aan vader vroegen, zei hij dat de Amerikanen inderdaad slaven hadden gehad, en die zwarte Amerikanen waren wel degelijk verwanten van Mina. Hun voorouders waren lang geleden gevangen genomen en met schepen helemaal naar Amerika gebracht om op grote plantages te werken. Maar nu was het anders, zei vader. Nu gebruikten de Amerikanen machines voor het werk en de slavernij was definitief afgeschaft.

Maar wat wij niet snapten was dat de zwarte en blanke Amerikanen zich niet, zoals de Arabieren, vermengd hadden en een bruine huid hadden gekregen, zoals dat meestal gebeurde als de bevolking uit blanken en zwarten bestond. 'Hoe komt het dat de Amerikaanse blanken nog steeds zo blank zijn,' vroeg Mina, 'en de zwarten zo zwart? Trouwen ze niet met elkaar?' Toen neef Zin uiteindelijk voldoende informatie had verzameld om haar vraag te beantwoorden, bleken ze inderdaad niet met elkaar te trouwen. Ze hielden de rassen gescheiden. Hun steden waren in twee medina's verdeeld, een voor de zwarten en een voor de blanken, zoals wij dat in Fes voor de moslims en de joden hadden. Daar moesten wij op het terras vreselijk om lachen, want als je in Marokko mensen op grond van hun huidskleur zou moeten scheiden, was je nog niet jarig. De mensen hadden zich zo vermengd dat je ze had in de kleur van honing, amandelen, café au lait en in allerlei tinten chocoladekleur. Vaak zag je in dezelfde familie zowel kinderen met blauwe ogen als kinderen met een donkere huid. Mina was echt verbijsterd bij de gedachte dat je steden naar ras kon splitsen. 'Wij weten dat Allah de mannen van de vrouwen heeft gescheiden om de bevolking te beheersen,' zei ze, 'en we weten dat Allah de religies heeft gescheiden zodat elke groep zijn eigen gebeden kan zeggen en zijn eigen profeet kan aanroepen. Maar waarom zou je zwarten van blanken scheiden?' Niemand kon daar een antwoord op geven. Zo hadden we er weer een mysterie bij.

Maar uiteindelijk bleef het meest verwarrende mysterie de vraag waarom de Amerikanen überhaupt in Casablanca waren geland. Op een dag werd ik zo moe van die kwestie dat ik gewoon tegen Samir zei dat ze misschien alleen maar waren komen picknicken. Gewoon op bezoek, omdat ze dachten dat Casablanca een onbewoond eiland was. Samir werd daar kwaad om en zei dat hij niet meer met me wilde praten als ik zo stom ging doen. Dat wilde ik voorkomen, en om hem gunstiger te stemmen zei ik dat er vast een, zoals vader zou zeggen, 'serieuze politieke reden' was dat de Amerikanen in Casablanca waren geland. Toen stelde ik voor om alle elementen van de situatie heel nauwkeurig te bekijken.

Ondertussen dacht ik bij mezelf dat ik de laatste tijd wel erg veel problemen met Samir had gehad. Hij was plotseling zo serieus geworden, alles moest politiek zijn, en als ik het niet met hem eens was, zei hij altijd dat ik geen respect voor hem had. Ik moest dus kiezen: met hem doorgaan en mijn eigen ideeën censureren, of besluiten onze nauwe vriendschap te verbreken. Natuurlijk overwoog ik dit laatste nooit serieus, want ik durfde het niet in mijn eentje tegen de volwassenen op te nemen. Altijd als ik iets gedaan wilde krijgen of me ergens tegen wilde verzetten, hoefde ik dat maar tegen Samir te fluisteren en hij zette de boel op stelten. En daarna hoefde ik alleen maar dichtbij hem te zitten, hem aan te moedigen als hij dat nodig had en hem toe te juichen als hij geslaagd was. Neem nou dat Amerikaanse mysterie: ik had gedacht dat hij zou moeten lachen om dat idee van strijders die met hun schip alleen voor een picknick hun verre eiland verlaten, maar nee hoor. 'Jij haalt de dingen steeds door elkaar,' betoogde hij, zeer ernstig en hevig bezorgd om mijn toekomst. 'Oorlog is oorlog. Een picknick is een picknick. Jij kijkt nooit naar de werkelijkheid, want je bent bang. Het is bovendien gevaarlijk wat je doet, want misschien sus je jezelf wel in slaap met het idee dat de strijders in Casablanca zijn om naar de bloemen te kijken en met de vogeltjes mee te zingen, terwijl ze op het punt staan naar Fes te komen en jou je keel af te snijden. Zelfs Malika, die veel ouder is dan ik, praat dit soort onzin. Ik denk dat het een vrouwenprobleem is.' Na deze raadselachtige woorden hield ik mijn mond stijf dicht, want wat hij zei klonk zowel bizar als juist.

Onze dringendste vraag ten aanzien van de Amerikanen was in feite wie nou eigenlijk hun vijanden waren. Waarom waren ze in Casablanca geland terwijl er nergens Alleman te bekennen waren? Na veel discussies kwam Samir met een heel zinnige verklaring. Hij zei dat oorlog misschien net zoiets was als een kinderspelletje, en dat de Amerikanen alleen maar in Casablanca waren geland om de Alleman voor de gek te houden, zoals wij ons in de olijfkruiken verstopten om elkaar voor de gek te houden. Marokko was de olijfkruik van de Amerikanen. Ze hadden zich daar verschanst en zouden later naar het noorden glippen om de Alleman aan te vallen. Ik vond dat een heel slim idee van Samir en wilde maar dat ik net zo kon reizen als hij, want van het rondtrekken met oom en vader was hij zo knap geworden.

Ik wist dat je verstand sneller werkte als je rondtrok, want dan zag je voortdurend nieuwe dingen waarop je moest reageren. En je werd zeker intelligenter dan iemand die op een binnenplaats vastzat. Ook moeder was hiervan overtuigd, en zei dat een belangrijk motief van mannen om vrouwen in harems te houden hun angst was dat ze anders te slim zouden worden. 'Rondtrekken over de planeet maakt je hersenen sneller,' zei moeder, 'en ons zetten ze achter sloten en muren om te zorgen dat onze hersenen in slaap vallen.' Ze voegde eraan toe dat de hele kruistocht tegen kauwgum en

Amerikaanse sigaretten in feite ook een kruistocht tegen vrouwenrechten was. Toen ik haar nadere uitleg vroeg, zei ze dat het natuurlijk wel stom was om sigaretten te roken en kauwgum te kauwen, maar dat mannen er zich vooral tegen verzetten omdat het vrouwen de kans gaf zelf beslissingen te nemen. Beslissingen die niet door traditie of gezag waren geregeld. 'Een vrouw die kauwgum kauwt stelt eigenlijk een revolutionaire daad, zie je', zei moeder. 'Niet omdat ze kauwt op zich, maar omdat het kauwen niet door de code is voorgeschreven.'

19

Snorren en borsten

Officieel mochten er geen mannen op het terras komen; het was het terrein van de vrouwen. Dat was vooral omdat er via de terrassen communicatie tussen de verschillende huizen mogelijk was: gewoon een kwestie van klimmen en springen. En als mannen zich van het ene terras naar het andere konden begeven, was een harem toch niet veilig meer? Veel te gemakkelijk kon er dan contact tussen de seksen plaatsvinden.

Oogcontact tussen mijn neven en de dochters van onze buren kwam beslist voor, met name in de lente en de zomer, als de zonsondergangen op de terrassen spectaculair waren. Ongetrouwde jongeren van beide seksen hielden zich dan bij mooi weer daar boven op om naar de weergaloze zonsondergangen te kijken, naar de rode en paarse wolken die hun magische vleugels uitstrekten in de lucht. Mussen dansten daar boven rond alsof ze door razernij overvallen waren. Sjama was altijd van de partij, samen met haar twee oudere zusjes, Salima en Zoebida, en haar drie oudere broers, Zin, Djawad en Sjakib. Haar broers werden geacht nooit een voet op ons terras te zetten, want je kon daar recht in het huis van de Bennis kijken, en daar hadden ze een heleboel meisjes (en jongens) in de huwbare leeftijd. Maar noch de Mernissi- noch de Bennis-jeugd hield zich ooit aan de regels, en op zomeravonden stroomden ze allemaal de romantische, witgesausde terrassen op die zo dicht bij de wolken lagen. De families bleven op hun eigen terrein, maar blikken en glimlachjes vlogen over en weer, en een zondige lust zweefde in de lucht. De meest getalenteerde jongeren zongen de liederen van Asmahan, Abdelwahab of Farid, terwijl alle anderen hun adem inhielden.

Op een dag, toen we op school een biologieles hadden over de wonderbaarlijke *insan* (mens), Allahs meest volmaakte schepping, legde Lalla Tam ons uit hoe jongens en meisjes mannen en vrouwen werden die baby's konden krijgen. Als je de leeftijd van twaalf of dertien bereikte, zei ze, misschien nog eerder, werd bij een jongen de stem harder, er verscheen een snor op je gezicht, en plotseling was je een man. (Toen Samir dat hoorde, tekende hij een snor op zijn bovenlip met de kohl van zijn moeder, die ik voor hem van haar welvoorziene toilettafel naar buiten had gesmokkeld.) Bij een meisje groeiden er enorme borsten en je kreeg *haq asj-har* (letterlijk het maandelijks vastgestelde), een soort bloederige diarree. Het deed geen pijn, het was volkomen natuurlijk, en als het gebeurde hoefde je niet bang te zijn. Tijdens haq asj-har moest je een *ghedwar* (maandverband) tussen je benen dragen zodat er niets zichtbaar was. Toen ik die dag uit school kwam, vroeg ik moeder meteen naar meer bijzonderheden over de ghedwar, en eerst was ze geschokt. Vervolgens begon ze mij uit te vragen over wie me die informatie zo vroeg gegeven had. Ze was verbaasd toen ze te horen kreeg dat het niemand minder dan Lalla Tam, mijn lerares was. 'Wij moeten alles weten van het menselijk lichaam en van Allahs prachtige ontwerp,' legde ik uit om haar gerust te stellen, want ze was helemaal ontdaan. 'Een goede moslim moet alles van natuurkunde en biologie weten, en van de planeten en de sterren.' Toen was moeder helemáál verslagen, want ze besefte dat ik geen kind meer was – niet omdat ik lichamelijk was veranderd, maar omdat ik over informatie beschikte waar kinderen volgens haar nog niet aan toe waren. Voor het eerst had ik een soort macht over moeder, en die ontleende ik aan informatie.

Dit gesprek was een keerpunt in mijn verhouding met moeder. Zij wist heel goed dat ik zelfstandig aan het worden was. Ze realiseerde zich waarschijnlijk ook dat de tijd voorbij vloog, dat haar oudste dochter snel groot werd, en dat haar eigen schoonheid niet eeuwig was. Als ik een jonge vrouw aan het worden was, dan betekende dat dat zij oud werd. 'Wat heeft Lalla Tam jullie nog meer verteld?' vroeg moeder, terwijl ze naar me keek alsof ik van een andere planeet kwam. 'Heeft ze iets over baby's gezegd?' Arme moeder, ze kon gewoon niet geloven dat ik, dat kleintje van haar, zo werd volgestopt met kosmische informatie. Ik vertelde haar dat ik wist dat ik op mijn twaalfde of dertiende een baby kon krijgen, omdat ik op die leeftijd haq asj-har zou hebben en de borsten 'die nodig zijn om dat kleine sabbelende, humeurige baby'tje te voeden.' Ze was een beetje overdonderd. 'Nou,' zei ze ten slotte, 'ik zou nog een jaar of twee gewacht hebben voordat ik met je over die dingen was gaan praten, maar nu het bij je opleiding hoort...' Toen legde ik haar uit dat ze zich niet te veel zorgen moest maken, want dat ik dit allemaal al jaren wist, gewoon door de toneelvoorstellingen en de verhalen, en door naar de vrouwen te luisteren als die met elkaar praatten. Nu was de kennis officieel, dat was alles. Om haar op te vrolijken grapte ik dat Samirs stem binnenkort net zo zou klinken als die van Fquih Al-Nasiri, de imam van onze plaatselijke moskee.

Maar wat ik moeder niet vertelde was dat ik vastbesloten was een onweerstaanbare *ghazala* te worden, een gazellenachtige femme fatale, en dat ik al diep in allerlei dubieuze *shoer* was gedoken, magische praktijken met astrologische manipulaties, dankzij de gelukkige gewoonte van Sjama om haar toverboeken rond te laten slingeren. Sjama had tientallen toverboeken in haar kamer, en omdat ze ze nooit echt verstopte, werd ik een kei in het uit mijn hoofd leren van toverformules en het kopiëren van toverkaarten, compleet met ingewikkeld gerangschikte letters en getallen, tijdens de spannend korte perioden dat zij niet in haar kamer was.

Om toverij te kunnen bedrijven moest ik ook veel van astronomie weten. Ik zat urenlang de hemel te bestuderen en vroeg aan iedereen in mijn buurt de namen van de sterren, in volgorde van hun verschijnen. Soms verschaften ze mij netjes de informatie die ik vroeg, op andere momenten werd mij abrupt de mond gesnoerd: 'Wees toch stil! Zie je niet dat ik aan het mediteren ben? Hoe kun je nou praten als de kosmische schoonheid zo overweldigend is?'

Voor mij was het uitvoeren van shoer-rituelen zoals het branden van kleine witte kaarsen bij nieuwe maan, of het branden van uitbundig versierde lange kaarsen bij volle maan, of het fluisteren van geheime toverformules wanneer Zahra (Venus) of Al-Moesjtari (Jupiter) aan de hemel stonden, verreweg de interessantste misdaad die op het terras gepleegd werd. We waren ook allemaal bij die operaties betrokken, want de vrouwen hadden ons kinderen nodig om de kaarsen vast te houden, de toverformules uit te spreken en allerlei speciale bewegingen te maken. De Melkweg twinkelde zo dichtbij dat we het gevoel hadden dat hij alleen voor ons stond te stralen.

Sjama zij geprezen dat ze meestal helemaal vergat hoe jong ik was als ze hardop 'Talsam al-qamar' (De talisman van de volle maan) voorlas, een hoofdstuk uit het geschrift van Al-Ghazali, *Kitab al-awfaq*.[31] Dit hoofdstuk vertelde welke toverformules je op welke dag en welk uur, bij welke speciale stand van de sterren moest uitspreken. Niet alle literatuur over astrologie en astronomie werd trouwens dubieus gevonden. Respectabele historici als Al-Masoedi had-den geschreven over de invloed van de volle maan op het universum, inclusief planten en mensen, en hun werk werd vaak voorgelezen.[32] Ik luisterde aandachtig naar wat Ma-soedi over de maan zei: die deed planten groeien, vruchten rijpen en dieren gedijen. Ze maakte ook dat vrouwen hun haq asj-har kregen.[33]

Mijn hemel, dacht ik, als de maan dat allemaal kan, dan kan ze ook vast wel zorgen dat mijn haar langer en steiler wordt, en dat ik borsten krijg, want dat liet hopeloos lang op zich wachten. Malika, dat merkte ik, was onlangs begonnen mooie bewegingen met haar schouders te maken – ze liep als prinses Farida van Egypte vóór haar scheiding – maar dat kon ze zich permitteren omdat er iets aan zat te komen. Ik zou het nog geen borsten noemen wat ze had, maar toch, onder haar blouse begonnen twee kleine minimandarijntjes zichtbaar te worden. Ik had nog niets, behalve een vertwij-felde hoop dat het bij mij ook snel zou gebeuren.

Wat ik echt fantastisch vond van de toverij op het terras was het feit dat een kruimel als ik betoveringen kon weven rond die fantastische hemellichamen die daar boven dre-ven, en iets van hun glans kon opvangen. Ik werd een des-kundige op het gebied van de namen die de Arabieren aan de maan geven. De nieuwe maan werd *hilal* (maansikkel) genoemd, en de volle maan *qamar* of *badr*. Zowel qamar als badr betekenden ook een verbijsterend mooie man of vrouw, want de maan was op haar helderst en mooist als ze vol was. Tussen en na de hilal en de qamar waren er nog an-dere namen. De dertiende nacht werd *bajd*, wit, genoemd, wegens de doorschijnende lucht, en *sawad* was de zwarte nacht, als de maan schuilgaat achter de zon. Toen Sjama mij vertelde dat mijn ster Zahra (Venus) was, begon ik mij lang-zaam te bewegen, alsof ik uit een nevelachtige hemelse substantie bestond en mijn zilveren vleugels kon uitspreiden wanneer ik maar wilde.

Wat ik ook prachtig vond van de sterrenwichelarij was het ongelooflijk gevarieerde gebruik dat je ervan kon maken. Je kon het toepassen om belangrijke mensen als grootmoeder of een koning te beïnvloeden, of gewoon om te zorgen dat de kruidenier op de hoek zich bij het afrekenen in jouw voordeel vergiste als je iets duurs wilde kopen. Maar voor mij waren eigenlijk maar twee dingen echt belangrijk: het eerste was dat ik goede cijfers kreeg op school en het tweede dat mijn sex-appeal toenam.

Natuurlijk wilde ik ook Samir betoveren, maar het omgekeerde leek te gebeuren: onze relatie werd steeds moeilijker. Om te beginnen had hij, net als vader en oom, een diepe afkeer van shoer; hij vond het volkomen onzin. Daardoor was ik natuurlijk gedwongen een groot deel van de avond ondergronds te gaan en helemaal te verdwijnen als het volle maan was. Ik was ook gedwongen mijn bezweringen te gebruiken om denkbeeldige Arabische prinsen van mijn eigen leeftijd aan te trekken. Maar ik was nogal voorzichtig, ik wilde mijn betoveringen niet al te ver van Fes, Rabat of Casablanca terecht laten komen, en zelfs Marrakesj leek wat te ver, hoewel Sjama zei dat een jonge Marokkaanse vrouw best met iemand in verre plaatsen als Lahore, Kuala Lumpur of zelfs China kon trouwen. 'Allah heeft het gebied van de islam immens en schitterend afwisselend gemaakt', zei ze. Veel later ontdekte ik dat de betovering alleen werkte als je je prins kende en je hem voor de geest kon halen tijdens het ritueel. Dat betekende een ernstige handicap voor mij, want nadat ik Samir op zijn dringende verzoek had uitgesloten, was er niemand meer die ik me voor de geest wenste te halen. De meeste jongens met wie ik op school speelde waren veel kleiner en jonger dan ik, en mijn prins moest minstens een centimeter langer en een paar uur ouder zijn. Maar in elk geval wist ik iets van toverkunst, en dat gaf me zelfvertrouwen.

Als je wilde zorgen dat een man dolverliefd op je werd, moest je op vrijdagavond, precies op het moment dat Zahra (Venus) aan de hemel verscheen, intensief aan hem denken. Ondertussen moest je de volgende bezwering uitspreken:

Laf, Laf, Laf
Daf, Daf
Jabesj, Dibesj,
Ghalbesj, Ghalbesj,
Daoej, Daoej
Araq Sadroeh,
Hah, Hah.[34]

Als je wilde dat de bezwering effect had, moest je de magische woorden natuurlijk met een vaste, melodieuze stem uitspreken, zonder uitspraakfouten, en dat was bijna onmogelijk want de woorden waren ons volkomen vreemd: het was geen Arabisch. Dat kon ook niet, want de bezweringen waren brokstukken van talen van de bovennatuurlijke djinns, ontfutseld en ontcijferd door getalenteerde geleerden, die ze hadden opgeschreven in het belang van de mensheid. Het kwam door mijn gebrekkige uitspraak, zo maakte ik mezelf wijs terwijl ik daar plichtsgetrouw zat te reciteren, dat mijn bezweringen niet veel effect hadden en dat er nog steeds geen prins om mijn hand was komen vragen. Het was ook verschrikkelijk gevaarlijk om de magische woorden verkeerd uit te spreken, want als je de djinns kwaad maakte konden ze zich tegen je keren en je gezicht met littekens bedekken of je been voorgoed omdraaien. Als Samir, mijn beschermer, bij me was geweest, had hij mijn uitspraak kunnen controleren en mij van de gramschap van de djinns kunnen redden. Maar hij bleef volkomen onverschillig voor mijn plotseling ontwakende obsessie om een femme fatale te worden.

Wat magie betreft was Mina het van harte met Samir eens, en hoewel ze erg tolerant was ten aanzien van de rituelen op het terras, vond ze het toch bedenkelijk en zei ze dat de Profeet er absoluut tegen was. Alle anderen zeiden steeds weer tegen haar dat de Profeet alleen maar tegen zwarte magie was, magie waarmee je andere mensen kwaad wilde doen, maar dat er niets tegen was als je talismans of muskus of saffraan verbrandde of bij volle maan toverformules opzei om je sex-appeal te vergroten, je haar sneller te laten groeien, langer te worden of grotere borsten te krijgen. Allah was goedgunstig *(latif)*, vol tederheid en vergeving *(rahim)* voor zijn kwetsbare, onvolmaakte schepselen. Hij was edelmoedig genoeg om dit soort behoeften te begrijpen. Mina stelde dat de Profeet zo'n onderscheid niet maakte, en dat alle vrouwen die zich met magie bezighielden op de Dag des Oordeels voor onaangename verrassingen zouden komen te staan. De boeken van de engelen zouden hen linea recta naar de hel sturen.

Maar magie vormde bij lange na niet zo'n grote bedreiging voor de harem als het besluit van de nationalisten om onderwijs aan vrouwen te stimuleren. De hele stad stond op zijn kop toen de religieuze gezagsdragers van de Qarawiyyin-moskee, inclusief Fquih Mohammed al-Fasi en Fquih moelay Belarbi al-Alawi, zich uitspraken voor het recht van vrouwen om naar school te gaan en, gesteund door koning Mohammed v, de nationalisten aanmoedigden om onderwijsinstellingen voor meisjes te openen.[35] Zodra moeder het nieuws had gehoord verzocht ze vader mij over te plaatsen van Lalla Tams koranschool naar een 'echte school', en daarop riep hij een officiële vergadering van de familieraad bijeen. Zo'n vergadering was een serieuze zaak, en meestal werd er alleen om gevraagd wanneer een familielid een belangrijke beslissing moest nemen of voor een of ander verlammend conflict stond. Een besluit over de overplaatsing was zo belangrijk dat vader het niet zonder ruggensteun van de familie kon nemen. Het was een enorme stap om van een traditioneel instituut, tot op dat moment de enige mogelijkheid voor meisjes, naar een nationalistische school te gaan, die geënt was op het Franse systeem en waar meisjes wiskunde, vreemde talen en aardrijkskunde kregen, vaak van mannelijke onderwijzers, en gymnastiek deden in shorts.

Daarom kwam de familieraad dus bijeen. Oom, grootmoeder Lalla Mani en al mijn jonge neven, die dankzij de landelijke en buitenlandse kranten goed op de hoogte waren van de recente verschuivingen op onderwijsgebied, kwamen vader helpen bij zijn besluit. Maar een familieraad was niet in evenwicht als er niet iemand bij was om moeder te steunen, die tenslotte met het idee was gekomen. Normaliter had deze vertegenwoordiger haar vader moeten zijn, maar omdat hij ver weg op zijn boerderij woonde, stuurde hij een vervanger in de vorm van oom Tazi, de broer van mijn moeder, die naast ons woonde. Oom Tazi werd altijd bij onze familieraad uitgenodigd als moeder er op een of andere manier bij betrokken was, om voor het evenwicht te zorgen en te voorkomen dat de Mernissi's een gezamenlijke aanval op haar belangen zouden doen. Oom Tazi werd dus uitgenodigd, de raad vergaderde, en moeder was buiten zichzelf van vreugde toen aan het eind van de besprekingen mijn overplaatsing geaccepteerd was. Het ging trouwens niet alleen om mij: mijn tien neefjes en nichtjes gingen ook allemaal. Iedereen nam dus vrolijk afscheid van Lalla Tam en haastte zich naar de nieuwe school van Moelay Brahim

Al-Kattani, op enkele meters afstand van onze poort.

Het was een ongelooflijke verandering, en ik was opgetogen. Op de koranschool moesten we de hele dag met gekruiste benen op een kussen zitten, en we hadden slechts één pauze voor de lunch, die we van huis meenamen. Het was er vreselijk streng – Lalla Tam sloeg je met haar zweep als de manier waarop je keek of praatte of de verzen opzei haar niet beviel. De uren sleepten zich voort terwijl je langzaam je teksten uit je hoofd leerde of reciteerde. Maar op de nationalistische school van Moelay Brahim was alles modern. Je zat op een stoel en deelde een tafel met twee andere meisjes of jongens. Er werd voortdurend geïnterrumpeerd en je verveelde je nooit. Niet alleen sprong je van de ene les naar de andere – van Arabisch naar Frans, van wiskunde naar aardrijkskunde – maar ook veranderde je steeds van klaslokaal. Tussen twee lessen in kon je ook wegsluipen, kopje duikelen, kekerhapjes van Malika lenen, en zelfs toestemming vragen om naar de wc te gaan, die aan het andere eind van het gebouw was. Dan mocht je officieel tien minuten wegblijven, en zelfs als je te laat terugkwam hoefde je alleen maar twee keer zachtjes op de deur van je klas te kloppen en dan ging je naar binnen. (Die twee klopjes op de deur voordat je hem openduwde en de klas binnenstapte, brachten mij in een staat van verrukking, omdat in ons huis de poorten of dicht of open waren, kloppen hielp niets. Niet alleen omdat de gigantische deuren zo zwaar waren en je er geen beweging in kon krijgen, maar ook omdat een kind een gesloten deur niet mocht openen en een open deur niet mocht sluiten.) Bij al deze opwinding hadden we nu op school ook nog twee lange pauzes, gewoon om op de binnenplaats te spelen, een midden op de morgen en de andere midden op de middag, en twee gebedspauzes, een vlak voor de lunch en de andere aan het eind van de middag. We werden dan naar de schoolmoskee gebracht na de rituele wassing bij de nabijgelegen fontein.

Maar dat was nog niet alles. We moesten nu thuis gaan lunchen, en dat was de gelegenheid waarbij wij Mernissi-kinderen kattenkwaad begonnen uit te halen op het kleine stukje straat tussen school en huis. We sprongen om de kleine ezeltjes heen die ons pad kruisten en die beladen waren met verse groenten, en soms wisten de jongens zelfs op de rug te klimmen van de dieren die geen last droegen. Ik vond het fantastisch om 's middags buiten op straat te zijn en het lukte mij vaak de kleine ezeltjes met hun zachte vochtige ogen te aaien en een paar minuten met ze te praten voordat hun baas mij in de gaten kreeg en mij wegjoeg.

Ook verdrongen we ons graag om Mimoen, de verkoper van geroosterde kekers, maar dat liep nooit goed af want het aantal porties dat hij ons uitdeelde klopte nooit met de hoeveelheid geld die hij terugkreeg. Dan liep hij met ons mee tot de poort en zwoer bij Moelay Idris, de beschermheilige van Fes, dat hij nooit meer zaken met ons zou doen en dat sommigen van ons in de hel zouden eindigen, omdat we dingen wilden eten waar we niet voor betaald hadden. Na een paar weken kwam Ahmed de portier eindelijk met een achtenswaardige oplossing: we zouden ons kekergeld allemaal van tevoren bij hem in bewaring geven, en hij zou aan het eind van elke week Mimoen betalen. Wanneer een van ons ons krediet had opgemaakt, kregen we dat te horen, en Mimoen ook.

De moderne school was zo leuk dat ik zelfs goede cijfers begon te krijgen en al gauw knap werd, hoewel ik nog steeds overal hopeloos langzaam in was, van eten tot praten. Ik ontdekte ook een andere manier om een ster te zijn: ik leerde een heleboel nationalistische liederen die we op school zongen uit mijn hoofd, en vader was zo trots dat hij mij minstens eenmaal per week vroeg ze aan grootmoeder Lalla Mani voor te zingen. Eerst zong ik ze terwijl ik gewoon op de grond stond. Toen ik zag hoeveel effect mijn gezang had, vroeg ik toestemming om op een krukje te gaan staan. Vervolgens mikte ik nog hoger en vroeg ik vader er bij moeder op aan te dringen dat ik mijn prinses-Aisja-jurk bij het zingen mocht dragen. De jurk, met zijn satijnen bovenstuk en overal rondom tule, was een kopie van de jurk die de prinses soms droeg als ze haar vader, Koning Mohammed v, vergezelde. Prinses Aisja trok vaak het land door met toespraken over vrouwenbevrijding, en dat had moeder geïnspireerd om die jurk voor mij te laten maken. Meestal mocht ik hem alleen bij speciale gelegenheden aan, omdat hij helemaal wit was en gauw vuil werd. Moeder vond het vreselijk als ik mijn kleren vuil maakte. 'Maar vlekken zijn onvermijdelijk als dit arme kind een normaal leven wil leiden,' kwam vader mij te hulp. 'Bovendien, ons meisje groeit zo hard, aan het eind van het jaar is deze jurk misschien al volkomen onbruikbaar.' Ten slotte stelde ik vader voor om mij ter completering van mijn optreden een kleine Marokkaanse vlag in mijn maat te geven, maar dat idee wees hij onmiddellijk af. 'Er is een duidelijk verschil tussen goed toneel en circus,' zei hij. 'En kunst bloeit alleen als dat onderscheid zorgvuldig in acht wordt genomen.'

Maar terwijl voor mij alles ten goede gekeerd was dankzij mijn nieuwe leraren, kreeg moeder het juist moeilijker. Door alle berichten over Egyptische feministes die op straat demonstreerden en minister werden, over Turkse vrouwen die allerlei officiële posities gingen bekleden, en over onze eigen prinses Aisja die zowel in het Arabisch als in het Frans vrouwen tot het moderne leven opriep, was het bestaan op de binnenplaats voor haar ondraaglijker geworden dan ooit. Moeder riep uit dat haar leven onzinnig was – de wereld veranderde, de muren en poorten zouden hier niet lang meer staan, en nog steeds was zij een gevangene. Daar kon ze de logica niet van inzien. Ze had toestemming gevraagd om naar alfabetiseringscursussen te gaan – in onze eigen buurt waren er een paar scholen die ze gaven – maar de familieraad had haar verzoek afgewezen. 'Scholen zijn voor kleine meisjes, niet voor moeders,' zei Lalla Mani. 'Het is niet volgens onze traditie.' 'En wat dan nog?' antwoordde moeder. 'Wie heeft er nu iets aan een harem? Wat kan ik doen voor ons land terwijl ik hier als een gevangene op deze binnenplaats zit? Waarom mogen wij geen onderwijs volgen? Wie heeft de harem ingesteld en waarvoor? Kan iemand mij dat uitleggen?'

Meestal vlogen haar vragen onbeantwoord weg als vlinders die verdwaald waren. Lalla Mani sloeg haar blik neer en vermeed oogcontact, en Sjama en tante Habiba probeerden het gesprek een andere wending te geven. Moeder zweeg een poosje, en sprak zichzelf dan weer moed in door over de toekomst van haar kinderen te gaan praten. 'Mijn dochters zullen tenminste een beter leven krijgen, vol mogelijkheden,' zei ze dan. 'Zij mogen onderwijs volgen en reizen. Zij zullen de wereld ontdekken en begrijpen en uiteindelijk aan zijn verandering meewerken. Zoals de wereld nu is, is hij ellendig. Voor mij in elk geval. Misschien hebben jullie, dames, het geheim gevonden om gelukkig te zijn op deze binnenplaats.' Dan richtte ze zich tot mij en zei: 'Jij gaat deze wereld écht veranderen, nietwaar? Jij gaat een planeet scheppen zonder muren en zonder grenzen, waar de portiers alle dagen van het jaar vrijaf hebben.' Een lange stilte volgde op haar woorden, maar de schoonheid van haar beelden bleef hangen en zweefde over de binnenplaats als geuren, als dromen. Onzichtbaar, maar ongelooflijk machtig.

20
Gedroomde vleugels

Op een middag was de binnenplaats even stil en rustig als hij meestal was, en alles was zoals het behoorde te zijn. Maar misschien was het toch iets stiller en rustiger dan normaal. Ik kon de kristalheldere muziek van de fontein heel duidelijk horen, alsof mensen hun adem inhielden, wachtend op iets dat zou gaan gebeuren. Of misschien was iemand bezig een droombeeld te scheppen. Uit de toverboeken van Sjama en uit gesprekken met haar wist ik dat je met behulp van *tarkiz* (concentratie) beelden naar je buurman toe kon sturen, zoiets als de concentratie die je nodig had om je op het gebed voor te bereiden, maar dan intenser. Lalla Tam zei dat gebed grotendeels concentratie was. 'Bidden is leegte scheppen, de wereld een paar minuten vergeten, zodat je over God kunt denken. Je kunt niet tegelijkertijd over God en over je dagelijkse problemen denken, zoals je ook niet twee verschillende kanten tegelijk op kunt lopen. Als je dat doet kom je nergens, in elk geval niet daar waar je heen wilde.'

Ook voor de praktijk was het belangrijk om je in concentratie te oefenen, zei tante Habiba. 'Hoe kun je praten of lopen, om maar te zwijgen van borduren of koken, als je geest niet geconcentreerd is? Wil je soms net zo worden als Stela Bennis?' Ik wilde in geen geval zo worden als Stela Bennis, een van de dochters van onze buren, die nooit namen kon onthouden. Ze vroeg steeds weer aan iedereen: 'Wie ben jij?' en zag geen kans het antwoord in haar kleine hersenpan te bewaren. Zodra je van plaats veranderde of zij haar hoofd omdraaide, kreeg je weer die onvermijdelijke vraag te horen: 'Hoe heet jij?' Ze werd 'Stela' genoemd, wat 'emmertje' betekende, omdat alle informatie die ze kreeg er weer uitstroomde, net als water. Maar hoewel training in concentratie een belangrijk deel van mijn opvoeding was, ging ik het pas serieus nemen toen Sjama mij vertelde dat je met behulp van concentratie beelden naar de mensen om je heen kon sturen. Dat magische idee herinnerde mij eraan dat ik Sjama wel eens met tante Habiba en moeder had horen broeden op een plan om iedereen op de binnenplaats vleugels te laten krijgen.

Tante Habiba zei dat iedereen vleugels kon ontwikkelen, het was alleen maar een kwestie van concentratie. Die vleugels hoefden niet zichtbaar te zijn zoals die van vogels. Onzichtbare vleugels waren even goed, en hoe eerder je je op het vliegen concentreerde hoe beter. Maar toen ik haar om meer uitleg smeekte, werd ze ongeduldig en waarschuwde ze mij dat sommige fantastische dingen niet geleerd kunnen worden. 'Je moet gewoon waakzaam zijn, zodat je de knisterende zijde van de gevleugelde droom te pakken kunt krijgen', zei ze. Maar ze gaf ook aan dat je aan twee voorwaarden moest voldoen om vleugels te kunnen krijgen. 'Ten eerste moet je je omcirkeld voelen, en ten tweede moet je geloven dat je die cirkel kunt doorbreken.' Na een korte, ongemakkelijke stilte, voegde tante Habiba er nog een stukje informatie aan toe, ondertussen zenuwachtig aan haar hoofdtooi wriemelend, wat een teken was dat ze mij een onaangename waarheid in mijn gezicht ging gooien. 'Een derde voorwaarde voor jou is, lieve kind, dat je ophoudt mensen met vragen te bombarderen. Je kunt ook heel goed leren door te kijken. Luisteren, met je lippen verzegeld, met waakzame ogen en gespitste oren, kan meer magie in je leven brengen dan al dat gehang van jou op het terras en dat gegluur naar Venus of de nieuwe maan.'

Deze woorden maakten mij zowel ongerust als trots. Ongerust omdat mijn clandestiene initiatie in bezweringen en toverboeken kennelijk geen geheim meer was. Trots omdat mijn geheimen, welke dat ook waren, meer op het terrein van de volwassenen lagen dan op dat van de kinderen. Magie was een ernstiger geheim dan fruit stelen vóór het dessert, of weghollen zonder de kekerverkoper Mimoen te betalen. Trots was ik ook omdat ik begreep dat magie, net als ijs, vele smaken had. Het weven van dunne draden tussen mijzelf en de sterren was er slechts een van, me concentreren op sterke onzichtbare dromen en van binnenuit mijn vleugels uitspreiden was er ook een, en die was minder grijpbaar. Maar niemand leek bereid mij bij deze tweede methode te helpen, en áls het al in Sjama's boeken beschreven werd, dan ben ik met lezen nooit zo ver gekomen.

Op die gedenkwaardige middag had ik de vreemde gewaarwording dat iemand bezig was vleugels te laten groeien of vliegvisioenen in die schijnbaar zo rustige binnenplaats te werpen. Maar wie was die tovenaar? Ik verzegelde mijn lippen, spitste mijn oren en keek om me heen. De vrouwen, verdiept in hun borduurwerk, werkten in twee teams. Iedereen concentreerde zich in stilte, met alle aandacht bij haar eigen patroon. Maar die volmaakte stilte op de binnenplaats betekende dat er een oorlog zonder woorden aan de gang was. En als je goed keek naar wat ze borduurden, wist je waar die oorlog over ging. Het was de eeuwige splitsing tussen *taqlidi* (het traditionele) en *asri* (het moderne). Sjama en moeder vertegenwoordigden het moderne kamp en borduurden een ongebruikelijk voorwerp dat eruitzag als de vleugels van een grote vogel, uitgespreid in volle vlucht. Het was niet hun eerste vliegende vogel, maar kennelijk was hij weer even choquerend als altijd, want het andere kamp, aangevoerd door grootmoeder Lalla Mani en Lalla Radia, had ook dit werk weer veroordeeld en gezegd dat het een schande was voor de maaksters. Zelf borduurden ze een traditioneel patroon. Tante Habiba deelde hun mrema en stond aan hun kant, maar alleen omdat ze het zich niet kon permitteren zichzelf openlijk revolutionair te noemen. Ze borduurde in stilte en hield zich met haar eigen bescheiden zaken bezig.

Het moderne kamp daarentegen was allesbehalve bescheiden. Sjama en moeder zagen er tamelijk opzichtig uit met de jongste kopieën van een van Asmahans vermaarde hoofddeksels op, een zwartfluwelen hoed met kleine pareltjes op de rand. De hoed had een driehoekige flap die over het voorhoofd viel, en daar stond het woord 'Wenen' op geborduurd. Van tijd tot tijd neurieden Sjama of moeder de woorden van het beruchte lied *'Lajáli al-oensi fi Vienna'* (Nachten van plezier in Wenen), waarop de hoed geïnspireerd was. Lalla Mani fronste altijd afkeurend als ze neurieden, want zij vond het lied over decadent plezier in een westerse hoofdstad een belediging voor de islam en zijn ethische principes. Op een keer probeerde Samir erachter te komen wat er zo bijzonder was aan Wenen, en Zin vertelde hem dat het een stad was waar de mensen de hele nacht een zogenaamde wals dansten. Een man en een vrouw hielden elkaar dan heel stevig vast en dansten terwijl ze om elkaar heendraaiden, totdat ze flauwvielen van liefde en genot, zoals bij een extatische dans. Het enige verschil was dat de vrouwen daar niet alléén dansten, maar met mannen. En al dat omarmen en dansen vond plaats in prachtig versierde nachtclubs of zelfs op straat tijdens feesten, waarbij de straatlantaarns in het donker flakkerden als om de omhelzing van de minnaars te vieren. Lalla Mani snoof verachtelijk: 'Wanneer fatsoenlijke moslimhuisvrouwen gaan dromen van dansen in obscene Europese steden, dan is dat wel het einde.'

Lalla Radia, Sjama's moeder, had zich er eerst tegen verzet dat haar dochter de Weense hoed droeg, en gezegd dat moeder een slechte invloed op haar had. De verhouding tussen Lalla Radia en moeder was zo gespannen geworden dat ze een tijdlang bijna niet met elkaar spraken. Maar toen had Sjama zo'n ernstige aanval van *hem* (depressie) gekregen, dat Lalla Radia niet alleen van gedachten veranderde, maar zelfs zo ver ging dat ze de Weense hoed zelf op het hoofd van haar dochter zette. Toch had het nog vrij lang geduurd voordat Sjama haar starende blik had afgeschud.

Op deze uitzonderlijk magische middag ging Lalla Mani maar door met haar verdediging van de *taqlid* (traditie). Alles wat de erfenis van onze voorouders schond, zei ze, was esthetisch waardeloos, en dat gold voor alles, van voedsel en haarstijl tot wetten en architectuur. Vernieuwing ging hand in hand met lelijkheid en obsceniteit. 'Geloof nou maar dat je voorouders al ontdekt hebben hoe je de dingen het beste kunt doen,' zei ze, terwijl ze moeder recht aankeek. 'Denk jij echt dat je slimmer bent dan die hele keten van generaties die jou zijn voorgegaan en voor het beste hebben gestreden?' Iets nieuws doen was *bid'a*, misdadige schending van onze heilige traditie.

Moeder hield even op met borduren om Lalla Mani van repliek te dienen. 'Elke dag offer ik mezelf op en geef ik toe aan de traditie zodat het leven in dit gezegende huis vredig voort kan kabbelen,' zei ze. 'Maar er zijn een paar zeer persoonlijke dingen, borduren bijvoorbeeld, die zorgen dat ik kan ademen, en ik ben niet van plan die ook op te geven. Van het traditionele borduren heb ik nooit gehouden, en ik zie niet in waarom mensen niet zouden mogen borduren waar ze zin in hebben. Ik doe niemand kwaad als ik een vreemde vogel maak in plaats van dat tot vervelens toe herhaalde patroon van Fes.'

De vleugels die Sjama en moeder borduurden waren die van een blauwe pauw, en ze maakten ze op een roodzijden qamis in Sjama's maat. Zodra de qamis klaar was zouden ze er nog een borduren, in moeders maat. Vrouwen met dezelfde ideeën trokken vaak dezelfde kleren aan om hun solidariteit te tonen.

Sjama's pauw was geïnspireerd op Sjeherazade's 'Geschiedenis van de vogels en de beesten.' Sjama hield veel van het verhaal, omdat het twee dingen combineerde waar zij dol op was, vogels en onbewoonde eilanden. Het verhaal begon toen de vogels, aangevoerd door de pauw, van een gevaarlijk eiland naar een veilig eiland vluchtten:

> 'Mij is ter ore gekomen, o goedgunstige koning,' zei Sjeherazade tegen haar echtgenoot tijdens de honderdzesenveertigste nacht, 'dat in vroeger tijden en in lang voorbije eeuwen een pauw met zijn gade aan de kust van de zee woonde. Nu werd deze plaats geteisterd door leeuwen en allerlei wilde beesten, en er bovendien veel bomen en stromen waren. Dus haan en hen plachten de nacht in een boom door te brengen uit angst voor de beesten, en zochten overdag voedsel. En dat staakten zij pas toen hun angst zo groot werd dat ze een andere woonplaats gingen zoeken; en in de loop van hun zoektocht, zie, daar kwamen ze terecht op een eiland vol stromen en bomen. Dus streken ze daar neer en aten van de vruchten en dronken van het water.'

Wat Sjama zo aansprak in dit verhaal was het feit dat de twee vogels, toen ze zich op het eerste eiland niet gelukkig voelden, een beter eiland gingen zoeken. Ze was verrukt van de gedachte dat je kunt gaan rondvliegen op zoek naar iets dat je gelukkig kan maken als je ontevreden bent met wat je hebt, en ze liet tante Habiba het begin van het verhaal telkens weer vertellen. Ze leek er nooit genoeg van te krijgen, totdat de rest van het publiek haar interrupties vervelend begon te vinden. 'Jij hebt lezen en schrijven geleerd, je kunt het boek toch lezen', zeiden ze. 'Lees het honderd keer als je daar zin in hebt, en laat tante Habiba verder vertellen. Onderbreek haar niet steeds!' Iedereen wilde dolgraag weten hoe het verder ging met de vogels, want ze identificeerden zich sterk met die kwetsbare en toch zo avontuurlijke schepsels, die gevaarlijke tochten naar vreemde eilanden maakten. Maar Sjama zei dat lezen niet hetzelfde was als luisteren naar tante Habiba die de woorden zo prachtig aaneenreeg.

'Ik wil dat jullie begrijpen wat het verhaal betekent, dames,' zei Sjama dan, terwijl ze Lalla Mani uitdagend aankeek. 'Dit verhaal gaat niet over vogels. Het gaat over ons. Leven is je bewegen, betere plaatsen zoeken, de planeet afstropen op zoek naar gastvrijere eilanden. Ik wil met een man trouwen met wie ik eilanden kan gaan zoeken!' Tante Habiba smeekte haar dan de arme Sjeherazade niet voor haar eigen karretje te spannen en niet weer tweedracht in de groep te zaaien. 'Alsjeblieft, laten we in 's hemelsnaam teruggaan naar de vogels,' zei ze dan, en vervolgde haar verhaal. Maar in feite vormde de groep waarover zij het had helemaal geen coherent geheel. De kloof tussen de vrouwen was onoverbrugbaar, en het conflict over het borduurpatroon stond voor een veel dieper conflict, namelijk dat tussen twee vijandige levensbeschouwingen.

Taqlidi (traditioneel) borduurwerk was een pretentieus, tijdrovend karwei, terwijl je asri (moderne) patronen louter voor je plezier maakte. Traditioneel borduren was saai: om een heel klein stukje stof te bedekken moest je urenlang werken met heel dun draad en heel fijne steekjes. Dit borduurwerk werd vaak gebruikt voor de traditionele uitzet, dus voor kussens en beddenspreien, en het kostte maanden, soms jaren, voor iets klaar was. De steken moesten er aan beide kanten hetzelfde uitzien, en de aanhechtingen moesten worden weggewerkt zodat je er aan de achterkant niets van zag. Lalla Radia, met haar vele dochters in de huwbare leeftijd, had een heleboel taqlidi borduurwerk voor hun uitzet nodig. Daarentegen kostte het helemaal niet veel tijd om de vogels te borduren die Sjama en moeder ontwierpen. De steken waren groffer, ze gebruikten een dubbele draad, en aan de binnenkant van de kleren mocht je gerust grote, slordige knopen zien zitten. Toch was het effect even prachtig als dat van taqlidi borduurwerk, misschien nog wel mooier, dankzij de onverwachte patronen en vreemde kleurencombinaties. Anders dan taqlidi borduurwerk, dat in de woninginrichting werd gebruikt, was het moderne werk niet bedoeld om tentoongespreid te worden; het was alleen bestemd voor minder opvallende, persoonlijke artikelen zoals de qamis, de sarwal, hoofddoeken en andere kledingstukken.

Ik moest toegeven dat rebellie in de vorm van modern borduurwerk zeer bevredigend leek, want je kon in twee of drie dagen meters stof vol borduren. En als je een driedubbele draad nam of de steken grover maakte, ging het nog sneller. 'En hoe kun je discipline leren als je steken zo los en onregelmatig zijn?' repliceerde Lalla Mani als ik dat tegen haar zei. Dat bracht mij van mijn stuk, want iedereen zei altijd dat je een nul werd als je geen discipline leerde. Ik wilde beslist geen nul worden, dus na die opmerking wipte ik meestal van de ene mrema naar de andere: als ik een beetje vrijheid en ontspanning in het moderne kamp had genoten, onderwierp ik me weer even aan de strengheid van het traditionele kamp.

Tante Habiba hield niet echt van het zich steeds herhalende, volle en drukke taqlidi handwerk, en moeder en Sjama wisten dat. Maar ze wisten ook dat zij niet voor haar gevoelens kon uitkomen omdat ze machteloos was, en ook omdat ze het evenwicht tussen beide kampen niet durfde verstoren. Evenwicht was essentieel op de binnenplaats, iedereen wist dat. Maar af en toe wisselden moeder en Sjama een snelle blik en een glimlach met tante Habiba om haar te bemoedigen en haar te laten weten dat ze met haar meevoelden. 'Alsjeblieft, tante Habiba,' smeekten ze dan, 'laten we teruggaan naar de vogels!' Als tante Habiba op verzoek van het publiek een verhaal vertelde, was ze automatisch vrijgesteld van haar handwerkplichten, en het viel mij op dat ze, voordat ze haar verhaal hervatte, naar het kleine lapje blauwe hemel boven ons keek, alsof ze God dankte voor alle talenten waarmee hij haar had gezegend. Of misschien had ze hulp nodig bij het aanwakkeren van de kwetsbare vlam van binnen.

Het nieuwe eiland dat de pauwen vonden was een paradijs vol weelderige planten en klaterende bronnen. Het was gelukkig ook buiten bereik van de mens, dat gevaarlijke schepsel dat de natuur vernietigde:

> De zoon van Adam misleidt de vissen en haalt ze tevoorschijn uit de zee; en hij schiet de vogels met een kogel van klei, en vangt de olifant met zijn sluwheid. Niemand is veilig voor zijn streken en vogel noch beest kan aan hem ontsnappen.

Het eiland was veilig omdat het ver weg lag, midden in de zee, onbereikbaar voor de schepen en handelsroutes van de mensen. Het leven van de pauwen ontvouwde zich gelukkig en vredig, totdat ze op een dag een ongelukkige eend ontmoetten, die aan vreemde nachtmerries leed:

Tot hen kwam een eend in een toestand van uiterste angst,
en zij schortte haar gang pas op toen ze de boom bereikte
waarin het pauwenpaar zat en waar ze tot rust leek te ko-
men. De pauw twijfelde er niet aan dat ze een zeldzaam
verhaal te vertellen had, dus vroeg hij haar naar haar we-
derwaardigheden en naar de oorzaak van haar zorgen,
waarop zij antwoordde: '...Ik heb mijn leven lang veilig en
vredig op dit eiland gewoond, en nooit heb ik iets verontrus-
tends gezien, totdat ik op een nacht, terwijl ik lag te slapen,
in mijn droom iemand zag naar de gelijkenis van een zoon
van Adam, en hij sprak met mij en ik met hem. Toen hoorde
ik een stem die tot mij sprak: "O gij eend, hoed u voor de
zoon van Adam en laat u niet imponeren door zijn woorden
noch door zijn adviezen, want hij is vol leugen en bedrog;
dus hoed u voor zijn slechtheid..." Hierop ontwaakte ik, vol
angst en beven, en sinds dat uur heeft mijn hart geen blijd-
schap gekend, uit vrees voor de zoon van Adam.'

Sjama werd altijd vreselijk opgewonden als tante Habiba bij
dit gedeelte van het verhaal kwam, want zij was uiterst gevoelig voor de manier waarop vogels op de terrassen en in
de straten van Fes werden behandeld. De jonge mannen op
de terrassen maakten er een sport van op mussen te schieten
met een speciaal vervaardigde katapult of met een voor die
gelegenheid geleende pijl en boog, en degene die de meeste
mussen doodschoot werd bewonderd en toegejuicht. Maar
Sjama schreeuwde en huilde en snikte vaak als haar broers
Zin en Djawad zich vermaakten met het doodschieten van
mussen. De luidruchtige vogels kwamen met honderden tegelijk vlak voor zonsondergang aangevlogen, krijsend alsof
ze bang waren voor de ophanden zijnde nacht. De jagers
lokten hen dichterbij door overal olijven op de vloer van het
terras te strooien, en vervolgens legden ze aan en schoten.

Sjama stond dan naar haar broers te kijken en vroeg hun wat ze nou toch zo leuk vonden aan het schieten op zulke kleine schepseltjes. 'Zelfs vogels kunnen in deze stad niet gelukkig leven', zei ze, en dan mompelde ze in zichzelf dat er iets verschrikkelijk mis moest zijn met een plek waar zelfs onschuldige mussen als gevaarlijke rovers behandeld werden, net als vrouwen.

Om het verhaal van de pauw op de felrode zijde te borduren had Sjama eerst draad van een veel dieper blauw willen gebruiken. Maar vrouwen uit de harem konden geen boodschappen gaan doen. Ze mochten niet gewoon naar de Kisaria gaan, het gedeelte van de medina waar stapels prachtige zijden en fluwelen stoffen in alle kleuren in de kleine winkeltjes lagen. Ze moesten Sidi Allal uitleggen wat ze wilden hebben, en dan ging hij het halen.

Sjama moest maanden wachten op precies die rode zijde waar ze naar zocht, en daarna nog weken op het bijpassende blauw, en zelfs toen waren de kleuren niet helemaal goed. Zij en Sidi Allal bedoelden niet hetzelfde met rood en blauw. Ik ontdekte dat mensen vaak met hetzelfde woord niet dezelfde zaak bedoelden, ook al ging het om schijnbaar banale dingen als kleuren. Geen wonder dus dat een woord als 'harem' zoveel felle ruzies en bittere tweedracht opriep. Het was een hele troost voor mij dat de volwassenen over belangrijke zaken evenzeer in verwarring verkeerden als ik.

Sidi Allal was een achterneef van Lalla Mani, en dat gaf hem veel macht. Hij was lang en knap, had een dunne snor en een fantastisch talent voor luisteren, wat veel vrouwen jaloers maakte op zijn vrouw, Lalla Zahra. Hij had ook een uitstekende smaak en droeg sierlijk geborduurde lichtbeige Turkse vesten van zware wol over zijn rijbroekachtige sarwal, en mooie grijsleren muilen. En omdat hij bevriend was met de meeste kooplui in de Kisaria, zochten ze voor hem de kostbaarste tulbanden uit die door pelgrims uit Mekka waren meegenomen. Sidi Allal vervulde zijn plichten nooit zonder zijn klanten een druppel parfum aan te bieden om hen te kalmeren, en het was een bijzonder aangename ervaring om hem uit te leggen wat je wilde kopen. De vrouwen namen tussen hun zinnen de tijd om het juiste woord te vinden voor het satijnachtige gevoel van een bepaalde stof of voor een subtiele kleurschakering of de uitgelezen geurencombinatie van een parfum.

Het was een bijzonder delicate operatie om Sidi Allal precies die zijde en die draden te beschrijven die je voor een bepaald borduurwerk nodig had, en de minder begaafde vrouwen vroegen de meer welsprekenden om hun dromen voor hen te verwoorden. De wensen van de vrouwen moesten met veel geduld aan Sidi Allal worden voorgelegd, want zonder zijn medewerking kwam je niet ver. Dus elke vrouw omschreef haar droomborduurwerk – het soort bloemen dat ze wilde maken en de kleuren daarvan, de tint van de knoppen en soms hele bomen met ingewikkelde takken. Anderen schetsten hele eilanden, omringd door schepen. Verlamd door de grens schiepen vrouwen hele landschappen en werelden. Sidi Allal luisterde met meer of minder belangstelling, afhankelijk van de status van de spreekster.

Helaas stond Sidi Allal ook aan de kant van Lalla Mani inzake de traditie en de taqlidi patronen. Dat bemoeilijkte de situatie van gescheiden vrouwen en weduwen als tante Habiba. Zij hoefden het niet in hun hoofd te halen met hem over iets anders dan klassieke patronen te praten, en moesten dus hun lot in handen leggen van machtiger vrouwen als moeder en Sjama, en hen de zijde laten beschrijven die ze voor hun modernere verlangens nodig hadden. Tante Habiba moest haar vogels diep in haar fantasie verborgen houden. 'Voor de machtelozen is het het belangrijkste om een droom te hebben,' zei ze vaak tegen mij, terwijl ik de trap in de gaten hield zodat zij een fabelachtige vogel met één vleugel kon borduren op de clandestiene mrema die ze in de donkerste hoek van haar kamer bewaarde. 'Natuurlijk, een droom alleen, zonder de macht om die te verwezenlijken, kan de wereld niet veranderen of de muren doen verdwijnen, maar hij helpt je wel je waardigheid te behouden.'

Waardigheid is dat je een droom hebt, een sterke droom, die je
een visioen geeft, een wereld waarin je een plaats hebt, waar
jouw bijdrage, welke dan ook, iets uitmaakt.
Je zit in een harem als de wereld je niet nodig heeft.
Je zit in een harem als jouw bijdrage niets uitmaakt.
Je zit in een harem als het nutteloos is wat je doet.
Je zit in een harem als de planeet ronddraait terwijl jij tot aan
je nek in de minachting en de verwaarlozing zit.
Slechts één persoon kan die situatie veranderen en de planeet
de andere kant op laten draaien, en dat ben jij.
Als je opstaat tegen de minachting en van een andere wereld
droomt, zal de richting van de planeet veranderen.
Maar wat je tot elke prijs moet vermijden is dat de minachting
om je heen naar binnen slaat.
Als een vrouw gaat denken dat ze niets is, huilen de kleine
mussen.
Wie kan hen op het terras verdedigen als niemand het visioen
heeft van een wereld zonder katapulten?

'Moeders moeten kleine meisjes en jongens vertellen hoe belangrijk dromen zijn,' zei tante Habiba. 'Dromen geven je perspectief. Het is niet genoeg om deze binnenplaats af te wijzen; je moet een visioen hebben van de weiden waardoor je hem wilt vervangen.' Maar hoe, vroeg ik tante Habiba, kon je kiezen tussen alle wensen en verlangens die je overweldigden, en net die ene vinden waarop je je moest concentreren, die ene belangrijke droom die je een visioen geeft? Ze zei dat kleine kinderen geduldig moesten zijn, die ene droom zou van binnen ontspruiten en tot bloei komen, en dan zou je aan het intense genot dat hij je schonk merken dat dit de echte kleine schat was die je licht en perspectief zou geven. Ze zei ook dat ik me nu geen zorgen moest maken, want dat ik een schakel was in een lange keten van vrouwen met sterke dromen. 'De droom van jouw grootmoeder Jasmina was dat ze een heel speciaal schepsel was,' zei tante Habiba, 'en niemand heeft haar dat idee ooit uit het hoofd kunnen praten. Ze heeft jouw grootvader veranderd, en hij ging de droom met haar delen. Ook je moeder heeft vleugels van binnen, en je vader vliegt met haar mee wanneer hij maar kan. Jij zult in staat zijn mensen te veranderen, ik weet het zeker. Ik zou me maar geen zorgen maken.'

Die middag op het terras, die met dat vreemde gevoel van magie en gevleugelde dromen begon, eindigde met een nog vreemdere, maar heerlijke sensatie: plotseling voelde ik mij tevreden en geborgen, alsof ik een nieuw maar veilig gebied had betreden. Hoewel ik geen bijzondere ontdekking had gedaan, had ik het gevoel dat ik op iets belangrijks was gestuit waarvoor ik nog geen naam had. Ik besefte vaag dat het te maken had met droom en werkelijkheid, maar meer wist ik niet. Ik vroeg me een paar seconden af of dat fijne gevoel niet te danken was aan de opmerkelijk trage zonsondergang. Meestal ging de zon in Fes zo snel onder dat je het einde van de dag nauwelijks bewust meemaakte, maar deze middag dreven de roze wolken zo overrompelend langzaam over dat verre vierkante stukje hemel heen dat de sterren al opkwamen voordat het goed en wel donker was.

Ik ging dichter bij nicht Sjama zitten en beschreef haar wat ik voelde. Ze luisterde aandachtig en zei toen dat ik bezig was volwassen te worden. Ik voelde een onweerstaanbare drang om haar onmiddellijk te vragen wat ze daarmee bedoelde, maar zag ervan af. Ik was bang dat ze zou vergeten wat ze wilde gaan zeggen en zou gaan klagen dat ik iedereen altijd lastig viel met vragen. Tot mijn verbazing bleef ze praten, als het ware tegen zichzelf, alsof haar woorden uitsluitend haarzelf betroffen. 'Volwassenheid is dat je de beweging van de *zaman* (tijd) gaat voelen als een zinnelijke liefkozing.' Die uitspraak maakte me erg vrolijk, want hij koppelde drie woorden aan elkaar die steeds maar weer in de toverboeken opdoken: beweging, tijd en liefkozing. Maar ik zei geen woord, bleef alleen maar luisteren naar Sjama, die een gebaar maakte alsof ze iets belangrijks ging zeggen.

Ze schoof haar mrema naar voren, trok haar schouders naar achteren en streelde haar Weense hoed, en na een dik kussen in haar rug te hebben gezet begon ze aan een monoloog in de stijl van Asmahan: ze richtte haar ogen op een onzichtbare horizon en liet haar kin rusten op haar dreigend tot een vuist geballde rechterhand:

> *Zaman is de wond van de Arabieren*
> *Zij voelen zich thuis in het verleden.*
> *Het verleden is de verlokkende tent van de dode voorouders.*
> *Taqlid is het terrein van de doden.*
> *De toekomst is beangstigend en zondig.*
> *Vernieuwing is bid'a, een misdaad!*

Meegesleept door haar eigen woorden stond Sjama op en kondigde het zwijgende publiek aan dat ze een belangrijke verklaring wilde afleggen. Met haar ene hand tilde ze haar witkanten qamis op en toen begon ze rond te huppelen. Ze boog voor moeder, nam haar Weense hoed af en hield die

recht vooruit als een vreemde vlag. Toen begon ze een tirade
af te steken in het ritme van pre-islamitische poëzie:

Wat is adolescentie voor de Arabieren?
Alsjeblieft, kan iemand mij dat uitleggen?
Is adolescentie een misdaad?
Weet iemand dat?
Ik wil in het heden leven.
Is dat een misdaad?
Ik wil de zinnelijke liefkozing van elke vlietende seconde op
*   mijn huid voelen.*
Is dat een misdaad?
Kan iemand mij verklaren waarom het heden minder belang-
*   rijk is dan het verleden?*
Kan iemand mij verklaren waarom 'Lajali al-Oensi' (Nach-
*   ten van genot) alleen in Wenen plaatsvinden?*
Waarom hebben wij niet ook 'Lajali al-Oensi' in de medina
*   van Fes?*

Op dit punt ging Sjama's stem plotseling over in die gevaarlijke zwakke fluistering waarin je tranen kon horen. Moeder,
die heel goed wist hoe gemakkelijk Sjama van vrolijk plotseling heel depressief kon worden, sprong onmiddellijk op,
boog en duwde Sjama terug op de sofa. Toen nam ze met
krachtige gebaren, alsof ze een koningin was, haar eigen
Weense hoed af, groette het volgzame publiek en ging door
alsof het zo gepland was:

Dames en afwezige heren,
In Wenen zijn 'Lajali al-Oensi'!
Wij hoeven alleen maar ezels te huren om naar het noorden te
*   gaan.*
En de fundamentele vraag is:

Hoe krijg je een paspoort voor een klein eenvoudig ezeltje uit
    Fes?
En hoe gaan we ons diplomatieke beestje kleden?
Binnenlands of buitenlands?
Taqlidi of asri?
Denk goed na!
Maar vergeet niet te slapen!
Geef antwoord of niet.
'Jullie mening telt toch niet.'

21
Eieren, dadels
en andere schoonheidsgeheimen

De breuk tussen neef Samir en mij vond plaats toen ik mijn negende jaar binnentrippelde en Sjama verklaarde dat ik officieel volwassen was. Op dat moment realiseerde ik mij dat Samir niet net zoveel als ik in huidzaken wilde investeren. Hij probeerde mij ervan te overtuigen dat schoonheidsbehandelingen van secundair belang waren, en ik probeerde hem ervan te overtuigen dat je niets hoefde te verwachten van iemand die zijn of haar huid verwaarloosde, omdat je via je huid de wereld voelde. Natuurlijk was het de theorie van tante Habiba die ik daar verkondigde – ik was daar een enthousiaste fan van geworden. Maar eigenlijk zat het tussen Samir en mij al enige tijd niet meer zo goed. Hij was mij Assila (Honingsnoepje) gaan noemen telkens als hij mij betrapte op het zingen van een lied uit een romantische opera van Asmahan, iets dat ik met opzettelijk trillende stem deed. Assila was een belediging in de straten van de medina, het duidde op iets kleverigs en plakkerigs. Je noemde iemand Assila als hij of zij er niet wakker uitzag, en omdat ik al bekend begon te staan om mijn afwezige gedrag vroeg ik hem mij zo niet te noemen. In ruil daarvoor beloofde ik om hem mijn Asmahan-trillers te besparen. Maar het werd nog erger. Hij maakte mijn belangstelling voor toverboeken, talismans en sterrenbezweringen belachelijk, en liet mij alleen, zonder bescherming tegen de gevaarlijke djinns die in Sjama's toverboeken op de loer lagen.

Op een dag bereikte ons conflict een kritiek punt. Samir

ontbood mij voor een dringende ontmoeting op het verboden dakterras, en daar verklaarde hij mij dat hij zou gaan omzien naar een andere speelmakker als ik er telkens weer twee dagen tussenuit kneep om mee te doen aan de schoonheidsbehandelingen van de volwassenen, en dan naar onze ontmoetingen op het dakterras kwam met een stinkend vettig masker op mijn gezicht en mijn haren. Zo kon het niet doorgaan, zei hij, ik moest kiezen tussen spel en schoonheid, alle twee ging beslist niet. Ik probeerde redelijk met hem te praten en herhaalde de theorie van tante Habiba, die hij al zo goed kende. Een mens was via zijn of haar huid met de wereld verbonden, zei ik, en hoe kon iemand met verstopte poriën de omgeving ervaren of gevoelig zijn voor haar vibraties? Tante Habiba was ervan overtuigd dat de mensen van de wereld een veel betere plek zouden maken als ze schoonheidsmaskers in plaats van gevechtsmaskers droegen. Maar helaas deed Samir deze theorie af als louter onzin, en hij herhaalde zijn ultimatum. 'Je moet nu kiezen. Ik heb er genoeg van steeds twee dagen zonder speelgenoot te zitten.'

Toen hij zag hoeveel verdriet mij dat deed, toonde hij een beetje medelijden en zei dat ik nog een paar dagen kreeg om erover na te denken. Maar ik zei hem dat dat niet nodig was, mijn besluit stond al vast. 'Mijn huid gaat voor, Samir,' zei ik. 'Het is het lot van de vrouw om mooi te zijn, en ik ben van plan om te gaan stralen als de maan.'

Maar terwijl ik nog sprak werd ik al overweldigd door een bang gevoel van wroeging en angst, en ik bad tot God dat Samir mij zou smeken van gedachten te veranderen zodat ik mijn gezicht niet hoefde te verliezen. En wonder boven wonder, hij deed het. 'Maar Fatima,' zei hij, 'alleen God kan schoonheid scheppen. Je kunt jezelf niet in de maan veranderen door gebruik van henna, *ghasoel*, die ordinaire klei, of al die andere smerige brouwsels. Bovendien zegt God dat het tegen de wet is je lichamelijke gedaante te veranderen, dus je riskeert er ook nog de hel mee.' Hij voegde eraan toe dat hij echt iemand anders moest gaan zoeken om mee te spelen als ik voor schoonheid koos. Het was een kwellende keuze voor mij, maar ik moet bekennen dat ik diep in mijzelf ook een merkwaardig, onbekend gevoel kreeg van triomf en trots. Dat kwam doordat ik me realiseerde hoe belangrijk ik als maatje voor Samir was; hij kon niet op dat terras leven zonder mijn fantastische aanwezigheid. Dat gevoel was buitengewoon, en ik kon het niet laten mijn geluk nog wat op te voeren. Ik vestigde mijn ogen dus op een willekeurig punt aan de horizon, enkele centimeters naast Samirs oor, maakte mijn blik zo dromerig als ik kon, en fluisterde met een nauwelijks hoorbare stem, waarvan ik hoopte dat hij leek op die van Asmahans femme fatale: 'Samir, ik weet dat je zonder mij niet kunt leven. Maar ik geloof dat het tijd wordt om te gaan beseffen dat ik een vrouw ben geworden.' En na een weloverwogen pauze voegde ik eraan toe: 'Onze wegen moeten scheiden.' Net als Asmahan keek ik tijdens het spreken niet naar Samir om het vernietigende effect van mijn woorden te zien. Ik weerstond die verleiding en bleef gewoon naar dat vage punt aan de horizon staren. Maar Samir verraste mij door het heft weer in handen te nemen. 'Ik geloof niet dat je al een vrouw bent,' zei hij, 'want je bent nog geen negen en je hebt nog geen borsten. Er is geen vrouw zonder borsten.' Die vernedering had ik niet verwacht, en ik was woedend. Ik wilde het hem flink betaald zetten. 'Samir,' zei ik, 'met of zonder borsten, ik heb besloten dat ik me van nu af aan zal gedragen als een vrouw, en de noodzakelijke tijd aan schoonheid zal besteden. Mijn huid en mijn haren zijn belangrijker dan spelletjes. Tot ziens Samir. Ga maar een andere makker zoeken.'

Met deze fatale woorden, die grote veranderingen in mijn leven teweeg zouden brengen, klom ik langs de wankele waspalen omlaag. Samir hield ze voor me vast zonder een woord te zeggen. Toen ik beneden was, hield ik ze voor hem vast, en hij gleed zwijgend naar beneden. Even stonden we tegenover elkaar, en toen schudden we elkaar heel plechtig de hand, zoals we dat oom en vader in de moskee hadden zien doen na het gebed op een grote feestdag. Toen gingen we in een eerbiedige stilte uiteen. Ik liep naar de binnenplaats en voegde me bij de schoonheidsbehandelingen, en Samir stond afzijdig en mokkend op het verlaten lagere terras.

Op de binnenplaats gonsde het van de activiteiten, die zich voor een groot deel afspeelden rond de fontein, omdat je daar het water om handen, schalen en borstels te wassen, bij de hand had. Basisingrediënten als eieren, honing, melk, henna, klei en allerlei oliën stonden in grote glazen potten klaar op de marmeren cirkel rond de fontein. Natuurlijk was er een overvloed aan olijfolie, en de beste daarvan kwam uit het noorden, minder dan honderd kilometer van Fes. Maar van de meer kostbare oliën als amandelolie en argaan was er veel minder. Die kwamen van exotische bomen die veel zon nodig hadden en alleen in het zuiden groeiden, in de streken van Marrakesj en Agadir.

De helft van de vrouwen op de binnenplaats zag er al afzichtelijk uit met al die papjes en kleverige maskers op hun haren en gezicht. Naast hen zaten de teamleiders in plechtige rust te werken, want als je bij de schoonheidsbehandeling een fout maakte, kon je noodlottige schade veroorzaken. Eén vergissing bij het afmeten en mengen of in de bereidingstijd kon tot allergieën en jeuk leiden, of, nog erger, maken dat een rood hoofd ravenzwart werd. Zoals meestal waren er drie schoonheidsteams. Het eerste concentreerde zich op de haarmaskers, het tweede op de hennamengsels, en het derde op huidmaskers en geuren. Elk team was uitgerust met zijn eigen kanoen (houtskoolvuurtje) en een lage tafel, die helemaal vol stond met een indrukwekkend arsenaal van kleisoorten, natuurlijke kleurstoffen zoals gedroogde granaatappelschillen, notenbast en saffraan, en allerlei geurige kruiden en bloemen, waaronder mirte, gedroogde rozen en sinaasappelbloesem. Veel van die artikelen zaten nog in het blauwe papier waar oorspronkelijk suiker in verpakt had gezeten en dat daarna door de winkelier was hergebruikt als pakpapier voor kostbare spullen. Exotische geuren als muskus en amber zaten in prachtige zeeschelpen, die ter extra bescherming in kristallen potten bewaard werden, en in tientallen aarden kruiken wachtten mysterieuze mengsels op hun transformatie tot magische smeersels.

De meest magische waren die waar henna in zat. De hennadeskundigen moesten minstens vier brouwsels maken om de smaak van de binnenplaats te bevredigen. Voor degenen die een sterke, vlammend rode gloed wilden, werd de henna aangelengd met een kokend sapje van granaatappelschillen en een snuifje karmijn. Voor degenen die donkerder tinten wensten, werd de henna aangelengd met een warm aftreksel van walnootbast. Voor wie hun haren alleen maar sterker wilden maken kon een mengsel van henna met tabak wonderen verrichten, en voor wie droog haar vochtiger wilde maken werd de henna gemengd met olijf-, argaan- of amandelolie en vervolgens als een dun papje ingemasseerd. Schoonheid was trouwens het enige onderwerp waarover alle vrouwen het eens waren. Vernieuwing werd helemaal niet toegejuicht. Iedereen, inclusief Sjama en moeder, baseerde zich op de traditie en deed niets zonder eerst met Lalla Mani en Lalla Radia te overleggen.

De volwassenen zagen er echt vreselijk uit met al die maskers van fruit, groente en eieren op en met de oudste, ontoonbaarste qamis aan die ze maar konden vinden. En omdat ze meestal ingewikkelde tulbanden en kunstige sjaals droegen, leek hun hoofd nu angstaanjagend klein, met die diepliggende ogen en de bruine druppels die over hun wangen en kaken stroomden. Maar het werd als een verplichting beschouwd jezelf zo lelijk mogelijk te maken als je je voorbereidde op de hammam, vooral omdat iedereen dacht: hoe lelijker je jezelf vóór het bad maakt, des te verblindender kom je eruit. Het was zelfs zo dat degene die de meest interessante lelijkheid wist te bereiken werd toegejuicht en geëerd met de 'afstoot-spiegel van de hammam', een merkwaardige oude spiegel waar al het zilver van af was en die de griezelige macht had neuzen te vervormen en ogen te reduceren tot satanische stippen. Ik speelde nooit met die spiegel, omdat ik er heel zenuwachtig van werd.

Ons traditionele hammam-ritueel kende drie fasen: vóór, tijdens en na de hammam. De fase ervóór speelde zich af op onze binnenplaats; daar maakte je jezelf lelijk door je gezicht en je haren met al die onflatteuze mengsels vol te smeren. De tweede fase vond plaats in de wijkhammam zelf, niet ver van ons huis; daar trok je je kleren uit en stapte je in een serie van drie kokonachtige vertrekken vol dampende hitte. Sommige vrouwen kleedden zich helemaal uit, anderen deden een sjaal om hun heupen, en de excentriekelingen hielden hun sarwal aan, zodat ze, als de stof nat geworden was, eruitzagen als bovenaardse wezens. De excentriekelingen die de hammam binnenkwamen met hun sarwal aan, waren het mikpunt van allerlei grappen en sarcastische opmerkingen zoals 'Waarom draag je niet ook een sluier, terwijl je bezig bent?'

De fase na de hammam hield in dat je vanuit de mistige hammam naar een binnenplaats ging, waar je je een poosje kon uitstrekken met alleen je handdoeken om, voordat je schone kleren aandeed. Op de binnenplaats van onze hammam lagen langs de hele muur uitnodigende matrassen op hoge houten tafels, zodat je tegen de natte vloer beschermd was. Maar omdat er niet genoeg matrassen voor iedereen waren, werd je geacht zo weinig mogelijk ruimte in te nemen en niet lang te blijven liggen. Ik vond het heerlijk dat die matrassen daar waren, want na de hamman was ik altijd ontzettend slaperig. Eigenlijk vond ik deze derde fase van het badritueel de fijnste, niet alleen omdat ik me zo gloednieuw voelde, maar ook omdat het badpersoneel, geïnstrueerd door tante Habiba die over de consumpties ging, sinaasappel- en amandelsap uitdeelde, en soms ook noten en dadels, zodat je weer energie kreeg. Deze laatste fase was een van de zeldzame gelegenheden waarbij de volwassenen niet tegen de kinderen hoefden te zeggen dat ze stil moesten zitten, want we lagen allemaal half in slaap bovenop de handdoeken en kleren van onze moeders. Af en toe kreeg je een duwtje van een vreemde hand, werd je been opgetild of je hoofd of een arm. Je hoorde de stemmen, maar kon geen vin verroeren, zo heerlijk lag je te slapen.

In een bepaalde tijd van het jaar werd er in de hammam een zeldzame, hemelse drank geserveerd die *zeria* (letterlijk 'de zaden') heette, waarbij tante Habiba er scherp op toezag dat er een eerlijke verdeling plaatsvond. Zeria was gemaakt van meloenzaden die gewassen, gedroogd en in speciaal voor de consumptie in de hammam gemaakte glazen potten waren gedaan. (Om een reden die ik nog steeds niet begrijp werd die heerlijke drank nooit ergens anders dan in de hammam geschonken.) De zaden moesten heel snel worden opgegeten, anders bedierven ze, en dat betekende dat je zeria alleen in de meloenentijd kon proeven, nooit meer dan een paar weken per jaar. De zaden werden gestampt en gemengd met volle melk, enkele druppels oranjebloesemwater en een snuifje kaneel. Dat mengsel moest dan een tijdje blijven staan, met de pulp erin. Bij het schenken mocht je de kan niet te veel bewegen, dan bleef de pulp op de bodem liggen en dronk je alleen de vloeistof. Als je na de hammam te slaperig was om te drinken en je moeder hield veel van je, dan probeerde ze altijd een slokje zeria door je keel te gieten, zodat je bij die speciale gebeurtenis niet achter het net viste. Kinderen van wie de moeders te afwezig waren om dat te doen, krijsten van ergernis als ze wakker werden en de lege kannen zagen. 'Je hebt alle zeria opgedronken! Ik wil zeria!' brulden ze dan, maar natuurlijk moesten ze dan een heel jaar wachten. De meloenentijd had een wreed abrupt einde.

Maar als je de binnenplaats van de hammam verliet, gekleed en plichtsgetrouw gesluierd, dan betekende dat niet dat het schoonheidsritueel was afgelopen. Er kwam nóg een stap: parfum. Die avond of de volgende morgen trokken de vrouwen hun favoriete kaftan aan, gingen in een rustig hoekje van hun salon zitten, gooiden een beetje muskus, amber of een andere geur op een klein houtskoolvuurtje, en lieten de rook in hun kleren en hun lange ongevlochten haren trekken. Daarna vlochten ze hun haar en deden kohl en rode lippenstift op. Wij kinderen waren dol op die dagen, omdat onze moeders er dan zo mooi uitzagen en vergaten ons te commanderen.

De schoonheidsbehandelingen en de riten rond de hammam waren niet alleen zo magisch omdat je de sensatie had dat je opnieuw geboren werd, maar ook omdat je voelde dat je die wedergeboorte zelf had bewerkstelligd. 'Schoonheid zit van binnen, je hoeft haar alleen maar naar buiten te brengen', zei tante Habiba, terwijl ze de morgen na de hammam als een koningin in haar kamer poseerde. Ze poseerde voor niemand anders dan zichzelf, met haar zijden sjaal als een tulband om haar hoofd gewikkeld en de enkele sieraden die ze uit haar scheiding had weten te redden fonkelend om haar hals en armen. 'Maar waar precies van binnen?' vroeg ik dan. 'In je hart, of in je hoofd, of waar precies?' Tante Habiba lachte en giechelde dat weg: 'Arm kind, zo diep hoef je niet te graven hoor, dat maakt het maar ingewikkeld. Schoonheid zit in je huid! Zorg goed voor je huid, smeer hem in, maak hem schoon, borstel hem, parfumeer hem en trek je beste kleren aan, ook al is er geen speciale gelegenheid, en dan voel je je een koningin. Als de maatschappij het je moeilijk maakt, vecht dan terug door je huid te verwennen. De huid is politiek *(al-djlida siyasa)*. Waarom zouden de imams ons anders bevelen hem verborgen te houden?'

Voor tante Habiba begon vrouwenbevrijding met het veerkrachtig maken van de huid en met massage. 'Als een vrouw haar huid gaat mishandelen, is ze vatbaar voor allerlei vernederingen', zei ze. Die laatste zin begreep ik niet helemaal, maar haar woorden inspireerden mij om alles te willen weten over maskers voor gezicht en haren. Ik werd er zelfs zo goed in dat moeder mij Lalla Mani of Lalla Radia liet bespioneren, zodat ik haar kon vertellen wat zij in hun schoonheidsmengsels stopten. Ik moest spioneren omdat zij, zoals veel andere vrouwen, de traditionele overtuiging aanhingen dat ze hun macht zouden verliezen als hun schoonheidsrecepten algemeen bekend werden. Door het uitvoeren van deze opdrachten raakte ik zo goed geïnformeerd dat ik zelfs overwoog een carrière op te bouwen op het gebied van schoonheid, magie en hoop, wanneer het te moeilijk zou blijken een succesvol verhalenvertelster zoals tante Habiba te worden.

Een gezichtsmasker dat mij zeer beviel was dat wat Sjama gebruikte om sproeten, puistjes en andere onvolkomenheden te camoufleren. Ik had sproeten bij de vleet. Sjama's recept, alleen te gebruiken voor een vette huid, luidde als volgt: Neem een vers ei. De enige manier om zeker te weten dat het vers is, is een paar weken een kippetje op je terras te houden. Maar als dat te lastig is, haal je een ei in de dichtstbijzijnde winkel. Als het er niet vers genoeg uitziet, schilder je het spierwit. Dan was je je handen met een natuurlijke zeep. Die is, uiteraard, tegenwoordig niet altijd gemakkelijk te vinden, maar als je niet iets natuurlijks op de kop kunt tikken, was je je handen in een vloeistof met zo weinig mogelijk wasmiddel. Wanneer je handen schoon zijn, breek je voorzichtig het ei en gooi je de dooier weg. Giet nu het eiwit op een plat bord van aardewerk. Het moet aardewerk zijn, metaal mag niet gebruikt worden. Neem een flink stuk schone witte *sjebba* (aluin) dat goed in de hand ligt, en wrijf dat stevig in het eiwit totdat dat vol klonten zit. Dan breng je een ruime laag van dit witte klonterige mengsel op je gezicht aan. Wacht tien minuten totdat je voelt dat het droog is. Was ten slotte je gezicht zachtjes af met een handdoek van natuurlijk materiaal, die met lauw water vochtig is gemaakt. Je poriën moeten nu fantastisch schoon aanvoelen, en je huid glad.

Natuurlijk werkte zo'n masker niet bij tante Habiba, die een erg droge huid had. Zij had een heel ander recept nodig, dat weliswaar niet veel kostte, maar waarvoor nogal wat planning nodig was en waarbij je rekening moest houden met de seizoenen. Het ging als volgt: In de meloenentijd koos tante Habiba een overrijpe vrucht, sneed er een gat in en vulde hem met drie handenvol gewassen kekers. Dan zette ze de gevulde meloen op het terras en liet hem daar zo'n week of twee staan, totdat hij verdroogd was tot een klein rimpelig bolletje. Dan deed ze hem in een grote vijzel (tegenwoordig is een blender handiger), en stampte hem met een stamper tot een fijn poeder. Dit kostbare poeder bewaarde ze in een trommel op een zonnige plek, zorgvuldig in papier gevouwen ter bescherming tegen het vocht. Elke week haalde ze er een beetje poeder uit, mengde dat met gewoon natuurlijk water (water uit een fles kan ook), en deed het voor ongeveer een uur op haar gezicht. Als ze het eraf waste met een lauwe natte doek, zuchtte ze van genot en zei 'Mijn huid heeft me lief.'

Maar de gezichtsmaskers van Sjama en tante Habiba waren alleen geschikt voor het reinigen, niet voor het voeden van de huid. Daarom gebruikten ze de ene week hun reinigingsmasker, en de andere week een voedend masker. Jasmina's masker van rode papaver en het dadelrecept van Lalla Mani waren de beste. Het enige probleem van allebei was dat je ze niet kon bewaren en dat ze onmiddellijk gebruikt moesten worden. En natuurlijk was het papavermasker ook op een dramatische manier seizoengebonden. Elk jaar wachtte Jasmina gretig op de lente, en zodra het koren ongeveer tot op kniehoogte stond, trok ze er te paard met Tamoe op uit om de eerste rode papavers te gaan zoeken. Papavers groeiden in de rijke groene korenvelden overal rondom de boerderij, maar vaak moesten Tamoe en Jasmina heel ver rijden, voorbij de spoorlijn, om de eerste bloemen van het seizoen te stelen van de aangrenzende velden die meer zon kregen. De papavers van hun eigen boerderij kwamen pas weken later. Als ze de papavers vonden, plukten ze ze in overvloed en kwamen terug met gigantische rode boeketten. Die avond spreidden ze dan met hulp van de medevrouwen een wit laken over de tafel uit en legden de bloemen voorzichtig naast elkaar, waarbij ze de bloemblaadjes en het stuifmeel bewaarden en de stelen weggooiden. Vervolgens werden de bloemen in een grote kristallen pot gedaan, en stuurde Tamoe iemand naar de citroenbomen om de hoogste vruchten te plukken, die boordevol zon waren en klaar om hun sap weg te schenken. Ze perste de citroenen uit boven de bloemen en liet ze een paar dagen weken tot er een zachte pasta was ontstaan. Als het klaar was werd iedereen uitgenodigd voor de schoonheidsbehandeling. De medevrouwen stroomden binnen en wachtten in de rij op hun beurt, en enkele uren lang was de boerderij vol wezens met rode gezichten. Je zag alleen hun ogen. 'Als je je gezicht nu wast, gloeit je huid net zo als de papavers', zei Jasmina, met dat schaamteloze zelfvertrouwen tovenaars eigen.

In de medina van Fes droomde moeder van papavers, maar meestal moest ze terugvallen op schoonheidsmaskers die gemakkelijker verkrijgbaar waren. Goede dadels zoals die welke Lalla Mani in haar maskers gebruikte waren ook moeilijk te vinden, omdat ze uit Algerije geïmporteerd moesten worden, maar je kreeg ze toch gemakkelijker te pakken dan de lentepapavers. Ik moet zeggen dat de ontdekking van het dadelmasker mijn verdienste was, want als ik grootmoeder Lalla Mani niet bespied had, zou moeder nooit achter haar geheim zijn gekomen. En Lalla Mani's huid glansde, punt uit. Leeftijd deed er niets toe. Lalla Mani deed zelden iets op haar huid, maar eenmaal per week liep ze een hele middag met een schoonheidsmasker op. Niemand had enig idee waar het masker van gemaakt was, totdat moeder mij erop uit stuurde om te spioneren en ik dat van die dadels en die melk ontdekte. Lalla Mani was zeer verstoord toen ze besefte dat wij het geheim van haar masker kenden, en vanaf dat moment werden wij kinderen altijd haar salon uitgejaagd wanneer ze aan haar schoonheidsbehandelingen begon.

Om haar masker te maken deed Lalla Mani twee of drie bijzonder sappige dadels in een glas volle melk, dekte het af en liet het een paar dagen bij een zonnig raam staan. Dan roerde ze het mengsel met een houten lepel tot een papje, bracht het aan op haar gezicht, en meed de zon. Het masker moest heel langzaam drogen, een bijzonderheid die mij als spion was ontgaan en waar moeder met veel geduld zelf achter kwam. 'Je moet voor een open raam gaan zitten,' zei ze nadat ze grootmoeders geheim had ontdekt, 'of nog beter, onder een parasol op een terras met een prachtig uitzicht.'

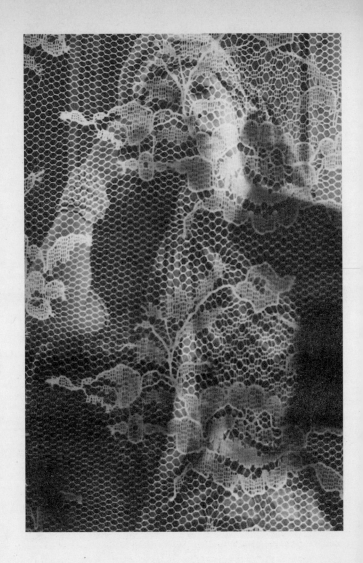

22
Mannenblikken

Vader had een hekel aan de geur van henna en de stank van de argaan- en olijfolie die moeder gebruikte om haar haren sterker te maken. Hij was altijd slecht op zijn gemak op de donderdagochtenden, als moeder haar lelijke, vroeger groene maar nu vuilgrijze qamis aantrok (een oud cadeau van Lalla Mani's pelgrimstocht naar Mekka, die vóór mijn geboorte had plaatsgevonden) en rondliep met henna in haar haar en een masker van meloen met kekers van oor tot oor op haar gezicht gesmeerd. Het lange haar, dat tot op haar heupen viel, was met pasta van henna bevochtigd, en daarna gevlochten en bovenop haar hoofd vastgemaakt, waardoor het een indrukwekkende helm leek. Moeder geloofde heilig in de stelling: hoe lelijker je jezelf vóór de hammam maakt, des te mooier kom je er weer uit, en ze stak ongelooflijk veel energie in de behandeling, zo veel dat mijn kleine zusje haar onder haar maskers niet herkende en begon te gillen als ze op haar afkwam.

Aan het eind van de woensdagmiddag begon vader al somber te kijken. 'Doedja, ik hou van je zoals je van nature bent, zoals God je gemaakt heeft,' zei hij dan, 'voor mij hoef je al die moeite echt niet te doen. Ik ben gelukkig met je zoals je bent, ondanks je driftbuien. Ik zweer je dat ik een gelukkig man ben, God is mijn getuige. Kun je die henna morgen niet vergeten, alsjeblieft?' Maar moeder antwoordde altijd hetzelfde. 'Sidi (mijn heer), de vrouw die jij liefhebt is helemaal niet degene die ze van nature is! Ik gebruik al henna sinds mijn derde jaar. En ik heb ook een psychologische reden om door dit proces heen te gaan – het geeft me het gevoel herboren te zijn. Bovendien zijn mijn huid en mijn haren na afloop veel glanzender, dat kun je toch niet ontkennen?'

Dus op donderdag glipte vader zo vroeg mogelijk het huis uit. Als hij toevallig even terug moest, ontweek hij moeder wanneer ze in zijn buurt kwam. Het was een spel waar de binnenplaats erg van genoot. Gelegenheden waarbij mannen angst toonden voor het oog van vrouwen waren werkelijk zeldzaam. Moeder rende vader achterna tussen de pilaren, en iedereen brulde van het lachen, todat Lalla Mani met haar imposante hoofdtooi op haar drempel verscheen. Dan stond alles plotseling stil. 'Denk erom, madame Tazi,' riep ze dan – en ze gebruikte mijn moeders meisjesnaam om haar eraan te herinneren dat ze een vreemde in de familie was – 'dat in dit fatsoenlijke huishouden echtgenoten niet geterroriseerd worden. Misschien gebeurt dat op de boerderij van jouw vader wél, maar hier, midden in deze hoogreligieuze stad en op slechts enkele meters afstand van de Qarawiyyin-moskee, een van de wereldcentra van de islam, gedragen vrouwen zich zoals het behoort. Ze zijn gehoorzaam en respectvol. Onbeheerst gedrag zoals jouw moeder Jasmina dat vertoont is alleen maar iets om boeren te amuseren.' Dan keek moeder woedend naar vader en verdween naar boven. Ze haatte het gebrek aan privacy in de harem, en de voortdurende bemoeienissen van zijn moeder. 'Haar gedrag is onuitstaanbaar, en nog ordinair ook,' zei moeder, 'vooral voor iemand die niet ophoudt anderen de les te lezen over manieren en respect voor anderen.'

In het begin van hun huwelijk had vader geprobeerd moeder van de traditionele schoonheidsbehandelingen af te houden door haar de Franse schoonheidsproducten aan te smeren, die veel sneller klaar waren en onmiddellijk resultaat hadden. Dit was het enige terrein waarop vader het moderne boven het traditionele verkoos. Na uitgebreid overleg met neef Zin, die de cosmetica-advertenties in de Franse kranten en bladen voor hem vertaalde, maakte hij een lange lijst. Daarna gingen ze inkopen doen in de Ville Nouvelle, en ze kwamen terug met een tas vol mooie pakjes, allemaal in cellofaan gewikkeld en dichtgebonden met kleurige zijden linten. Vader vroeg Zin bij ons in de salon te komen zitten terwijl moeder de pakjes uitpakte, voor het geval dat ze hulp nodig had bij de Franse gebruiksaanwijzingen, en hij keek met veel belangstelling naar haar terwijl ze alle pakjes zorgvuldig openmaakte. Het was duidelijk dat hij een fortuin had uitgegeven. In sommige pakjes zat haarverf, in andere shampoo, en er waren drie soorten crème voor zowel gezicht als haren, om maar te zwijgen van de parfums in hun sierlijke flesjes. Vader had vooral de muskusgeur verafschuwd die moeder altijd per se op haar haren wilde doen, dus hielp hij haar gretig het flesje Chanel 5 te openen en verzekerde haar: 'Alle bloemen zitten erin waar je het meest van houdt.' Moeder bekeek alles nieuwsgierig, informeerde hier en daar naar de samenstelling, en vroeg Zin de gebruiksaanwijzingen te vertalen. Ten slotte wendde ze zich tot vader en stelde hem een vraag die hij niet had verwacht: 'Wie heeft deze producten gemaakt?' Toen beging hij de fatale vergissing haar te vertellen dat ze waren vervaardigd door mannen van de wetenschap, in klinische laboratoria. Toen ze dat hoorde pakte ze de parfum en gooide de hele rest weg. 'Als mannen me nu ook nog gaan beroven van het enige waar ik nog de macht over heb – mijn eigen cosmetica – dan zijn zíj de baas over mijn schoonheid. Zoiets zal ik nooit tolereren. Ik schep mijn eigen magie, en ik geef mijn henna niet prijs.' Daarmee was de zaak eens en voor altijd geregeld, en vader moest zich, evenals alle andere mannen van de binnen-

plaats, neerleggen bij de ongemakken van de schoonheidsbehandelingen.

De avond voor de hammam, als moeder henna in haar
haren deed, verliet vader onze salon en nam zijn toevlucht
in die van zijn moeder. Maar als moeder weer thuiskwam, in
een wolk van Chanel 5, kwam hij altijd meteen terug. Zij
ging eerst naar de salon van Lalla Mani om haar de hand te
kussen. Dat was een traditioneel ritueel. Een schoondochter
was verplicht na de hammam de hand van haar schoonmoeder te gaan kussen. Dankzij de nationalistische revolutie en al het gepraat over vrouwenbevrijding was het ritueel
op de meeste plaatsen al aan het uitsterven, behalve op belangrijke religieuze feestdagen. Maar omdat Lalla Radia het
ritueel nog steeds in ere hield, moest ook moeder dat doen.

Moeder gebruikte het ritueel van de handkus echter ook
als een gelegenheid om een grapje te maken. 'Beste schoonmoeder,' zei ze dan, 'denkt u dat uw zoon bereid is zijn
vrouw weer tegemoet te treden, of wil hij bij zijn mammie
blijven?' Moeder glimlachte als ze dat zei, maar Lalla Mani
reageerde met een frons en stak haar kin vooruit. Zij beschouwde humor in het algemeen als een vorm van onbe-
leefdheid, en die van moeder in het bijzonder als regelrechte
agressie. 'Denk erom kind,' antwoordde ze zonder manke-
ren, 'je mag blij zijn dat je met zo'n gemakkelijke man als
mijn zoon getrouwd bent. Een ander zou een vrouw die
hem ongehoorzaam was en henna in haar haar bleef smeren
terwijl hij haar vroeg dat niet te doen, de deur wijzen. Bovendien, vergeet niet dat Allah mannen het recht heeft gegeven vier vrouwen te bezitten. Als mijn zoon ooit gebruik
maakt van zijn heilige recht, dan kan hij naar het bed van
zijn tweede vrouw gaan als jij hem wegjaagt met je henna-
stank.' Moeder luisterde dan kalm en rustig tot grootmoeder klaar was met haar preek. Dan kuste ze haar hand zon-

der nog een woord te zeggen, en schreed naar haar eigen salon, een spoor van Chanel 5 achter zich latend.

De hammam waar wij heengingen om te baden en onze schoonheidsmiddelen af te wassen, had allemaal witmarmeren muren en vloeren, en veel glas in de plafonds zodat het licht kon binnenstromen. Die combinatie van ivoorkleurig licht, damp en naakt rondlopende volwassenen en kinderen deden de hammam lijken op een heet stomend, exotisch eiland dat op een of andere manier midden in de geordende medina op drift was geraakt. En zonder het derde vertrek zou de hammam ook werkelijk een paradijs zijn geweest.

Het eerste vertrek van de hammam was dampig, ja, maar niet uitzonderlijk; je liep er snel doorheen en gebruikte het voornamelijk als een manier om aan de mistige hitte gewend te raken. Het tweede vertrek was een verrukking; er hing net genoeg damp om de wereld om je heen tot een soort bovenaards gebied te laten vervagen, maar niet zoveel dat het je ademhaling bemoeilijkte. In dat tweede vertrek sloeg de schoonmaakwoede toe en wreven de vrouwen hun dode huid af met *mhekka*, ronde stukjes kurk in met de hand gehaakte wollen zakjes.

Voor het uitwassen van de henna en de oliën gebruikten de vrouwen ghasoel, een wonderbaarlijke shampoo en lotion van klei, die je haren en huid ongelooflijk zacht maakten. 'Ghasoel verandert je huid in zijde,' beweerde tante Habiba. 'Daardoor voel je je een antieke godin als je de hammam uitkomt.' Het maken van ghasoel, eigenlijk geurige bruine plakjes gedroogde klei, kostte vele seizoenen en twee tot drie dagen hard werken. Als het eenmaal gemaakt was hoefde je er alleen nog maar een handvol van in rozenwater te strooien, en dan had je een magische oplossing.

Met de ghasoel begon je in de lente, en de hele binnenplaats deed mee. Eerst kwam Sidi Allal een grote hoeveelheid rozenknoppen, mirte en andere geurige planten van het land brengen, en de vrouwen haastten zich ze mee naar boven te nemen en ze uit de zon op schone lakens uit te spreiden. Als ze droog waren werden de bloemen opgeborgen tot aan de grote ghasoel-dag midden in de zomer, als ze werden gemengd met klei en opnieuw gedroogd tot een dunne korst – ditmaal door de hete zomerzon. Geen enkel kind wilde die dag missen, want niet alleen hadden de volwassenen dan onze hulp nodig, maar ook mochten we de klei kneden en ons net zo vuil maken als we wilden zonder dat er iemand klaagde. De geparfumeerde klei rook zo heerlijk dat je hem wel zou willen eten, en op een keer proefden Samir en ik er inderdaad iets van, maar dat kwam ons op maagpijn te staan, die we zorgvuldig geheim hielden.

Het maken van ghasoel vond, net zoals de andere schoonheidsbehandelingen, plaats rond de fontein. De vrouwen brachten hun krukjes en houtskoolvuurtjes mee en gingen vlakbij het water zitten, zodat ze hun handen en potten en pannen gemakkelijk konden wassen. Eerst werden er kilo's gedroogde rozen en mirte in afzonderlijke diepe pannen gedaan, waar ze een poosje langzaam moesten sudderen. Dan werden ze van het vuur gehaald om af te koelen. De vrouwen die dol waren op een bepaald soort bloem – zoals moeder, die van lavendel hield – deden deze bloemen in kleinere pannetjes om ze te laten sudderen. En net als bij de andere schoonheidsbehandelingen geloofden sommige vrouwen dat het hele magische effect van hun ghasoel-formule verloren zou gaan wanneer die algemeen bekend werd, dus zij verdwenen in donkere hoekjes van de bovenverdiepingen, deden de deuren dicht en mengden hun mysterieuze planten en bloemen in het geheim. Sommige vrouwen, zoals tante Habiba, droogden hun rozen in het maanlicht. Anderen beperkten zich tot bloemen van speciale kleuren, en weer anderen spraken bezweringen over hun planten uit om de toverkracht ervan te versterken.

Dan begon het kneden. Tante Habiba gaf het signaal door een paar handenvol rauwe klei in een ruime aarden bak te gooien – zo'n bak als waarin het brood gekneed werd. Dan goot ze een kom mirte- of rozenwater over de klei, liet dat erin trekken en begon te kneden totdat er een soepel papje ontstond. Vervolgens spreidde ze het papje uit over een houten plank, en vroeg ons kinderen de plank naar het terras te brengen zodat het kon drogen.

Wij deden dat met veel plezier, en soms vergat een van ons in de opwinding dat de klei nog zacht was, en ging steeds harder lopen, totdat de hele inhoud van de plank op zijn hoofd gleed. Dat was erg pijnlijk, vooral omdat iemand hem dan terug moest brengen naar de binnenplaats terwijl zijn ogen dichtgeplakt zaten met klei. Maar zoiets overkwam mij nooit, omdat ik in alles zo hopeloos langzaam was. De ghasoel-dag was echter een van de zeldzame gelegenheden waarbij die eigenschap goed van pas kwam.

Als wij kinderen met de planken op ons hoofd op het terras kwamen, hijgend en puffend om te laten zien hoe belangrijk onze bijdrage was, nam Mina het heft in handen. Het was haar taak over de planken te waken en het droogproces in de gaten te houden. 's Avonds gaf ze ons de opdracht de planken naar binnen te brengen, zodat ze niet vochtig werden, en de volgende dag, op het heetst van de dag, moesten we ze weer buiten leggen. Na vijf dagen was de klei dan opgedroogd tot een dunne korst en in kleine stukjes uiteengevallen. Dan stortte Mina alles in één groot schoon laken en verdeelde het onder alle volwassen vrouwen. De vrouwen met kinderen kregen meer, omdat zij er meer van nodig hadden.

Ghasoel werd in het tweede vertrek van de hammam als shampoo gebruikt, en in het derde en heetste vertrek, waar het fanatiekst werd schoongemaakt, als verzachtende en reinigende crème. Samir en ik hadden een hekel aan dat derde vertrek, en noemden het zelfs de folterkamer, omdat de volwassenen zich daar 'serieus' met ons kinderen wensten bezig te houden. In de eerste twee vertrekken van de hammam vergaten de moeders hun kroost gewoon, zo werden zij in beslag genomen door hun schoonheidsbehandelingen. Maar in het derde vertrek, vlak voordat ze hun eigen reinigingsrituelen gingen uitvoeren, voelden de moeders zich schuldig omdat ze ons hadden verwaarloosd, en ze probeerden dat goed te maken door onze laatste ogenblikken in de hammam in een nachtmerrie te veranderen. Dan ging alles plotseling mis en vielen we van de ene ongelukkige ervaring in de andere.

Ten eerste haalden de moeders emmers koud en warm water rechtstreeks uit de fonteinen, en goten het over ons hoofd zonder het eerst goed te controleren. Het water had nooit de juiste temperatuur: het was of gloeiend heet of ijskoud, nooit iets ertussenin. En officieel mochten we zelfs niet schreeuwen in het derde vertrek, omdat de vrouwen overal om ons heen bezig waren met hun reinigingsrituelen. Voor het reinigen, de voorbereiding op het gebed dat meteen na het verlaten van de hammam plaatsvond, hadden de volwassenen zeer zuiver water nodig. Om dat te krijgen moest je zo dicht bij de bron (in dit geval de fonteinen) zijn als je maar kon. Dat betekende dat het derde vertrek altijd overvol was en wij met onze emmers in de rij moesten staan. (In feite was het derde vertrek van de hammam de enige plek waar ik ooit Marokkanen netjes in de rij heb zien staan.) Elke minuut in die rij voor de fontein was een kwelling vanwege de hitte.

Zodra de emmers gevuld waren, begonnen de volwassenen met het reinigingsritueel, ten aanschouwen van de rij. Het rituele wassen verschilde van gewoon wassen door de zwijgende concentratie en de voorgeschreven volgorde waarin de lichaamsdelen werden gewassen: handen, armen, gezicht, hoofd en ten slotte de voeten. Wij mochten een vrouw die met haar ritueel bezig was niet voor de voeten lopen, wat betekende dat we ons nauwelijks konden bewegen. Dus tussen dat stilstaan en het te hete of te koude water dat over ons hoofd werd uitgestort, hoorde je altijd overal kinderen krijsen en brullen. Sommigen wisten zich even aan de greep van hun moeder te ontworstelen, maar omdat de marmeren vloer glad was van het water en de klei, en de ruimte zo vol was, konden we nooit lang vrij blijven. Sommigen probeerden om te beginnen het derde vertrek al te vermijden, maar in dat geval werden ze, wat mij vaak overkwam, gewoon opgetild en naar binnen gedragen, ondanks hun schrille kreten.

Dat waren de weinige nare momenten, die bijna het hele verrukkelijke effect van de hammamsessie tenietdeden. Bijna wisten ze met één veeg de lange reeks heerlijke uren uit waarin je tante Habiba's kostbare kam van Senegalees ivoor verstopte alleen maar om hem weer tevoorschijn te toveren als zij er koortsachtig naar liep te zoeken; waarin je een paar sinaasappels pikte die Sjama in een emmer koud water bewaarde; waarin je keek naar de dikke vrouwen met hun enorme borsten, naar de magere met hun puntige billen, of naar de kleine moeders met hun reusachtige tienerdochters; en vooral, waarin je de volwassenen troostte als ze uitgleden over de gladde vloeren vol klei en henna.

Op een bepaald moment ontdekte ik een manier om het proces in de folterkamer te versnellen en moeder te dwingen mij naar de deur te sleuren. Ik deed alsof ik flauwviel, iets waarin ik al heel bedreven was geworden wanneer ik wilde dat mensen mij met rust lieten. Als ik flauwviel wanneer de andere kinderen de djinns imiteerden terwijl we 's avonds laat de trap af gingen, moest het kind dat mij bang had gemaakt mij vaak naar beneden naar de binnenplaats dragen of in elk geval moeder waarschuwen. Moeder maakte dan veel stampei en ging klagen bij de moeder van het kind – om mij! Maar strategisch flauwvallen in de hammam terwijl ik naar het derde vertrek werd gesleept, was lonender, omdat ik daar een publiek had. Om te beginnen greep ik moeders hand om te zorgen dat ze mijn kant op keek. Dan sloot ik mijn ogen, hield mijn adem in en zeeg ineen op de natte marmeren vloer. Moeder smeekte om hulp. 'Om godswil, help me hieruit te komen! Dit kind heeft weer een hartverlamming!' Ik vertelde Samir van mijn truc, en hij probeerde hem ook, maar werd betrapt op lachen toen zijn moeder om hulp begon te schreeuwen. Zij rapporteerde dit aan oom Ali, en de volgende vrijdag werd Samir vlak voor het gebed in het openbaar berispt omdat hij zijn eigen moeder voor de gek had gehouden, 'het heiligste schepsel dat op twee voeten op Gods grote planeet rondwandelt'. Samir moest haar om vergeving vragen, de hand van Lalla Mani kussen en haar vragen voor hem te bidden. Om in het paradijs te komen moest een moslim onder de voeten van zijn moeder doorgaan (*al-djannatoe tahta aqdami l-oemmahat*), en Samirs vooruitzichten waren op dat moment niet al te best.

Toen kwam de dag dat Samir de hammam uitgegooid werd omdat een vrouw merkte dat hij een 'mannenblik' had. Door die gebeurtenis besefte ik dat wij allebei op een of andere manier bezig waren een nieuw tijdperk te betreden, misschien dat van de volwassenheid, hoewel we er nog erg klein en hulpeloos uitzagen vergeleken met de reusachtige volwassenen om ons heen.

Het gebeurde op een dag in het tweede vertrek. Een vrouw begon plotseling te schreeuwen en naar Samir te wijzen. 'Van wie is die jongen?' riep ze. 'Dat is geen kind meer.' Sjama rende naar haar toe en zei dat Samir pas negen was, maar de vrouw was onvermurwbaar. 'Al was hij vier, ik verzeker je dat hij net zo naar mijn borsten keek als mijn man.' Alle vrouwen eromheen die de henna uit hun haar zaten te wassen, staakten hun bezigheden om naar de woordenwisseling te luisteren, en ze schoten allemaal in de lach toen de vrouw maar bleef zeggen dat Samir 'een zeer erotische blik' had. Toen werd Sjama hatelijk: 'Misschien keek hij zo naar u omdat u een vreemde borst hebt. Of misschien geeft dat kind u een erotische kick. In dat geval bent u wel erg gefrustreerd.' De vrouwen kwamen niet meer bij van het lachen, en Samir, die daar midden tussen al die naakte dames stond, realiseerde zich plotseling dat hij onmiskenbaar een ongewone macht had. Hij zette zijn magere borst uit en schreeuwde met aplomb de zin die in de Mernissi-huishouding sindsdien een gevleugeld woord was: 'U bent mijn type niet. Ik hou van grote vrouwen.' Dit bracht Sjama in een lastig parket. Ze kon haar verrassend vroegrijpe broertje niet blijven verdedigen, vooral niet omdat ze zelf haar lachen ook niet kon houden. Het geschater van de menigte schalde door het vertrek. Maar dit komische incident markeerde, zonder dat Samir en ik het beseften, het einde van onze kindertijd, de periode waarin het verschil tussen de seksen er niet toe deed. Hierna werd Samir steeds minder in de vrouwenhammam getolereerd, want zijn 'erotische blik' begon meer en meer vrouwen te storen. Telkens als het gebeurde werd Samir als een triomferende man terug naar huis gebracht, en zijn mannelijk gedrag was op de binnenplaats dagenlang het voorwerp van commentaren en grappen. Maar uiteindelijk bereikte het nieuws van de gebeurtenissen oom

Ali, en die besloot dat zijn zoon niet meer naar de vrouwenhammam mocht, maar met de mannen mee moest.

Ik vond het erg treurig om nu zonder Samir naar de hammam te gaan, vooral omdat we de spelletjes niet meer konden doen die we altijd speelden in de drie uren die we daar doorbrachten. Samir deed een even treurig verslag van zijn ervaringen in de mannenhammam. 'De mannen eten daar niet, moet je weten,' zei hij. 'Geen amandelen, geen drankjes, en ze praten of lachen ook niet. Ze wassen zich alleen maar.' Ik zei dat hij zijn moeder misschien kon overhalen hem weer mee te nemen, als hij maar niet langer op die bepaalde manier naar de vrouwen keek. Maar tot mijn grote verbazing antwoordde hij dat dat niet meer ging en dat we aan de toekomst moesten denken. 'Weet je,' zei hij, 'ik ben een man, al is dat nog niet te zien, en mannen en vrouwen moeten hun lichaam voor elkaar verbergen. Ze moeten gescheiden worden.' Dat klonk gewichtig en ik was erg onder de indruk, maar overtuigd was ik niet. Toen merkte Samir op dat ze in de mannenhammam geen henna en gezichtsmaskers gebruikten. 'Mannen hebben geen schoonheidsmiddelen nodig,' zei hij.

Die opmerking bracht mij terug naar de oude discussie die we op het dakterras hadden gevoerd, en ik voelde me aangevallen. Ik had als eerste onze vriendschap op het spel gezet door vast te houden aan mijn deelname aan de schoonheidsbehandelingen, en daarom ging ik mijn positie verdedigen. 'Tante Habiba zegt dat de huid belangrijk is,' begon ik, maar Samir onderbrak mij. 'Ik denk dat mannen een andere huid hebben,' zei hij. Ik keek hem alleen maar aan. Ik wist niets te zeggen, want voor het eerst sinds onze kinderspelletjes realiseerde ik mij dat alles wat Samir zei juist was, en dat wat ik zei er niet zoveel toe deed. Plotseling leek alles zo vreemd en ingewikkeld en ongrijpbaar. Ik kon voelen dat ik een grens passeerde, over een drempel stapte, maar ik wist niet welke nieuwe ruimte ik betrad.

Plotseling voelde ik me zomaar bedroefd. Ik klom naar Mina op het terras en ging naast haar zitten. Ze streelde mijn haar. 'Waarom zijn we vandaag zo stil?' vroeg ze. Ik vertelde haar van mijn gesprek met Samir, en ook van de gebeurtenissen in de hammam. Zij luisterde met haar rug tegen de westmuur, haar gele hoofdtooi even sierlijk als altijd, en toen ik uitgepraat was, zei ze dat het leven van nu af aan zowel voor mij als voor Samir steeds moeilijker zou worden. 'In de kindertijd doet het verschil er niet toe,' zei ze. 'Van nu af aan kun je er niet meer aan ontkomen. Je zult door het verschil geregeerd worden. De wereld wordt meedogenloos.'

'Maar waarom?' vroeg ik. 'En waarom kunnen we niet aan de heerschappij van het verschil ontkomen? Waarom kunnen mannen en vrouwen niet met elkaar blijven spelen als ze ouder zijn? Waarom die scheiding?' Mina gaf geen antwoord op die vragen, maar zei dat mannen en vrouwen door de scheiding allebei een ellendig leven leidden. Dat de scheiding een enorm onbegrip schiep. 'Mannen begrijpen vrouwen niet,' zei ze, 'en vrouwen begrijpen mannen niet, en het begint allemaal wanneer de kleine meisjes in de hammam van de kleine jongetjes worden gescheiden. Dan splijt een kosmische grens de planeet in twee helften. De grens geeft de machtslijn aan, want overal waar een grens is, zijn er twee soorten schepselen op Allahs aarde, aan de ene kant de machtigen, aan de andere kant de machtelozen.'

Ik vroeg Mina hoe ik kon weten aan welke kant ik stond. Haar antwoord was kort en bondig: 'Als je er niet uit kunt, hoor je bij de machtelozen.'

Noten

1 De Ramadan, de heilige negende maand van de islamitische
  kalender, wordt gevierd met dagelijks vasten, van zonsopgang
  tot zonsondergang.

2 *Joe-joe-joe-joe* is een zang van blijdschap die vrouwen zingen
  om blijde gebeurtenissen te vieren, van geboorte en huwelijk
  tot het af hebben van een borduurwerk of het organiseren van
  een feestje voor een oude tante.

3 Let wel, ik woonde slechts zestien kilometer van Spanje, in het
  door het Westen bezette Marokko, maar ik was stomverbaasd
  toen ik besefte dat Sjeherazade door veel westerlingen als een
  mooie maar eenvoudige entertainer werd beschouwd die onschuldige verhaaltjes vertelde en fabelachtig gekleed was. In
  ons deel van de wereld wordt Sjeherazade gezien als een dappere heldin en is ze een van onze zeldzame legendarische vrou-
  wenfiguren. Sjeherazade is een sterk strategisch denkster, die
  haar psychologisch inzicht in mensen gebruikt om ze harder te
  laten lopen en hoger te laten springen. Net als Saladin en Sind-
  bad geeft ze ons meer vertrouwen in ons vermogen de wereld
  en de mensen te veranderen.

4 In de jaren veertig waren de meeste Marokkaanse mannen en
  vrouwen in de steden identiek gekleed, met drie gewaden over
  elkaar heen. Het eerste, de qamis (hemd), was heel zacht, gemaakt van natuurlijk materiaal zoals katoen of zijde. Het tweede, de kaftan, was van zware wol en werd in de lente, als het war-
  mer werd, uitgelaten. Het derde, de faradjiyya, was dun, vaak
  doorschijnend, met splitten opzij, en werd over de kaftan ge-

dragen. Als mannen en vrouwen naar buiten gingen voegden ze er nog een vierde laag aan toe, de lange, ruime djellaba.

Maar met de onafhankelijkheid in de jaren vijftig onderging de mode in Marokko een revolutionaire verandering. Ten eerste begonnen zowel mannen als vrouwen bij gelegenheid westerse kleren te dragen. Vervolgens werd de traditionele kleding zelf veranderd en aan de moderne tijd aangepast. Het tijdperk van een geïndividualiseerde, eigenzinnige manier van kleden was aangebroken, en vandaag zul je, als je een straat in een Marokkaanse stad bekijkt, zien dat geen twee mensen hetzelfde dragen. Mannen en vrouwen lenen van elkaar en van de rest van Afrika, en van het Westen. Zo worden nu felle kleuren, eens het privilege van vrouwen, ook door mannen gedragen. Vrouwen lenen de djellaba's van de mannen en mannen lenen de boeboes van de vrouwen, de grote, golvende geborduurde gewaden die uit Senegal en andere zwarte moslimlanden komen. En jonge Marokkaanse vrouwen hebben zelfs ongelooflijk sexy minidjellaba's gemaakt van tricot in Italiaanse stijl.

5 Sjadjarat al-Doerr trok de macht aan zich in het jaar 648 volgens de moslimkalender (1250 volgens de christelijke).

6 Op dit punt is het misschien nuttig om een onderscheid aan te brengen tussen twee soorten harems, die we paleisharems en huisharems zullen noemen. De eerste hebben gebloeid tijdens de moslimdynastieën van de sultans, die voortdurend hun gebied uitbreidden en hun rijkdom vergrootten, te beginnen met de Oemajjaden, een Arabische dynastie uit de zevende eeuw die vanuit Damascus regeerde, en eindigend met de Ottomanen, een Turkse dynastie die vanaf de zestiende eeuw de Europese hoofdsteden bedreigde totdat hun laatste sultan, Abdelhamid II, in 1909 door de westerse mogendheden werd afgezet en zijn harem werd ontmanteld.

Huisharems noemen we die harems die ook bleven bestaan na 1909, toen de moslims hun macht kwijtraakten en hun gebieden bezet en gekoloniseerd werden. Huisharems waren in feite uitgebreide families, zoals de harem in dit boek, zonder slaven of eunuchen, en vaak met monogame echtparen, die echter wel de traditie van de afzondering van vrouwen voortzetten.

Het is de Ottomaanse paleisharem die het Westen zo gefascineerd heeft dat het bijna een obsessie werd. Deze Turkse harem heeft de westerse fantasie geprikkeld en is de inspiratiebron geweest voor honderden oriëntalistische schilderijen in de achttiende, negentiende en twintigste eeuw, zoals het beroemde 'Bain Turc' van Ingres (1882), 'Femmes Turques au Bain' van Delacroix (1854) of 'In the Bey's Garden' van John Frederick Lewis (1865). Deze harems, schitterende paleizen vol luxueus geklede luierende vrouwen, met slaven om hen te bedienen en eunuchen om de poorten te bewaken, bestonden toen de machtige mannen van de moslimhoven (de keizer, zijn vizier, generaals, belastingontvangers enzovoort) zoveel invloed en geld hadden dat ze in de veroverde gebieden honderden en soms duizenden slavinnen konden kopen en voor hen dergelijke kostbare huishoudingen konden onderhouden. Een reden waarom de Ottomaanse paleisharems zo'n invloed op de westerse fantasie hebben gehad zou de spectaculaire verovering van Constantinopel, de Byzantijnse hoofdstad, kunnen zijn, in 1453, en de daaropvolgende bezetting van sommige Europese steden, en ook het feit dat de Ottomanen de meest nabije en meest bedreigende buur van het Westen waren.

Huisharems, de harems die in de moslimwereld bleven bestaan na de kolonisatie door het Westen, zijn vergeleken met de paleisharems nogal saai, want ze hebben een sterk burgerlijke inslag en lijken, zoals gezegd, meer op een uitgebreide familie, zonder noemenswaardige erotische dimensies. In deze harems wonen een man en zijn zonen met hun echtgenotes in hetzelfde huis; ze delen hun middelen van bestaan, en van de vrouwen wordt verwacht dat ze niet in het openbaar verschijnen. De mannen in dit soort harems hebben lang niet altijd meer dan één vrouw – ook niet in de hier beschreven harem. Niet de polygamie maakt een huishouding tot een harem, maar het feit dat de mannen van de familie de vrouwen afgezonderd wensen te houden en dat ze niet apart in gezinnen willen wonen.

7 In feite is de wet nooit veranderd. Nu, bijna een halve eeuw later, strijden moslimvrouwen nog steeds voor afschaffing van de polygamie. Maar mannen zeggen dat het een religieuze wet (sjaria) is die niet veranderd kan worden. In de zomer van 1992 werd een Marokkaanse vrouwenorganisatie (l'Union d'Action Féminine, waarvan de voorzitster, Lahfa Jbabdi, een briljant sociologe en journaliste is), die een miljoen handtekeningen tegen polygamie en echtscheiding had verzameld, het doelwit van de fundamentalistische pers, die een fatwa (religieus advies) liet uitgaan met de oproep de vrouwen als ketters terecht te stellen. Eigenlijk kun je zeggen dat de status van vrouwen in de moslimwereld sinds de tijd van grootmoeder achteruit is gegaan. De verdediging van polygamie en echtscheiding in de fundamentalistische pers is eigenlijk een aanval op het recht van vrouwen om aan het maken van wetten mee te doen. De meeste moslimregeringen, zelfs die welke zichzelf modern noemen, houden net als hun fundamentalistische oppositie in het familierecht vast aan polygamie, niet omdat die nu zo veel voorkomt, maar omdat ze vrouwen willen laten zien dat hun behoeften niet belangrijk zijn. De wet bestaat niet om hen te dienen of om hun recht op geluk en emotionele veiligheid te garanderen. De overheersende opvatting is dat vrouwen en de wet niet bij elkaar horen; vrouwen moeten de wet van de mannen maar accepteren want ze kunnen hem toch niet veranderen. Als het recht van mannen op polygamie werd afgeschaft, zou dat betekenen dat vrouwen iets over de wet te zeggen hebben, dat de maatschappij er niet alleen door en voor mannen is. Een goede maatstaf voor het democratische gehalte van een

moslimregering is haar standpunt over de kwestie van de polygamie. Als we die maatstaf hanteren zien we dat heel weinig moslimlanden wat mensenrechten betreft bij de tijd zijn. Tunesië en Turkije zijn het meest progressief.

8 Zie voor een amusante blik op de harems van het Romeinse rijk: Sarah B. Pomeroy, *Goddesses, Whores, Wives, and Slaves: Women in Classical Antiquity*, New York: Schocken Books 1975.

9 De Abbasidische dynastie, de tweede dynastie van het moslimrijk, heeft vijfhonderd jaar geregeerd, van 750 tot 1258 (moslimkalender 132 tot 656). Ze eindigde toen de Mongolen Bagdad verwoestten en de kalief doodden. Haroen al-Rasjid was de vijfde kalief van de Abbasidische dynastie; hij regeerde tussen 786 en 809. Zijn veroveringen werden legendarisch en zijn regering wordt beschouwd als het hoogtepunt van de Gouden Eeuw van de moslims. Kalief al-Moetawwakil was de tiende vorst van de dynastie (847-861); kalief al-Moeqtadir de achttiende (908-932).

10 Dit was in de jaren veertig. Tegenwoordig worden er dankzij de moderne technologie overal in de Gharbvlakte bananen en andere tropische vruchten verbouwd.

11 Maghrib is de Arabische naam voor Marokko, het land van de ondergaande zon, van *gharb* (westen).

12 De Hadith is een verzameling van teksten over daden en uitspraken van de profeet Mohammed. Ze is opgetekend na zijn dood, en wordt beschouwd als een van de primaire bronnen van de islam; de eerste is de Koran, het boek dat rechtstreeks door Allah aan zijn Profeet geopenbaard is.

13 Het woord tachmal komt van het werkwoord *chammal* in de Arabische spreektaal, dat 'grondig schoonmaakwerk doen' betekent. De tachmal is een lang geborduurd lint of elastieken band die vrouwen gebruikten om lange mouwen op te stropen. Ze namen een band van een meter lang, knoopten de uiteinden aan elkaar en draaiden er een cijfer acht van. Dan staken ze hun

armen erin, met de knoop op de rug, en stopten de mouwen in de band, dichtbij de oksel. Om de praktische kant van de tachmal te camoufleren borduurden veel vrouwen er parels en kralen op; rijke vrouwen gebruikten parelkettingen of gouden kettingen in plaats van linten of banden.

14 Ibn Chaldoen, een van de meest briljante sociaal-historici van de islam, leefde in de veertiende eeuw in Noord-Afrika, islamitisch Spanje en Egypte. In zijn meesterwerk, de *Moeqaddimah* (Inleiding), onderwierp hij de geschiedenis aan een nauwgezette analyse om erachter te komen door welke principes ze geleid werd. Voor hem vormde de stedelijke bevolking de positieve pool van de moslimcultuur, en de mensen buiten de steden, zoals boeren en nomaden, de negatieve, destructieve pool. Van deze opvatting dat stedelijke centra de bakermat vormen van ideeën, cultuur en rijkdom, en dat de agrarische bevolking onproductief, opstandig en ongedisciplineerd is, zijn alle Arabische visies op ontwikkeling tot op de huidige dag doortrokken. Zelfs nu nog is in Marokko *aroebi*, dat is iemand die van het platteland komt, een veelgehoord scheldwoord.

15 Avicenna (980-1037), in het Arabisch bekend als Ibn Sina, en Al-Chwarazimi (circa 800-847) waren twee van de vele illustere geleerden die konden gedijen onder het beschermheerschap van het Abbasidische kalifaat. Avicenna's uitgebreide geschriften bevatten alle medische kennis van zijn tijd. Al-Chwarazimi legde de grondslag voor de Arabische wis- en sterrenkunde waarbij hij zich onder andere op Indiase bronnen baseerde. Deze en vele andere geleerden bewaarden niet alleen een schat van kennis die gebaseerd was op het klassieke Grieks, Perzisch, Sanskriet en Syrisch, maar ontwikkelden deze ook verder, vooral in de Arabische taal. Via Latijnse vertalingen werden de Arabische wetenschappelijke resultaten tijdens de Middeleeuwen aan het Westen overgedragen.

16 In het productieproces vulden mannen en vrouwen elkaar aan.

Zo werd een zijden kaftan bijvoorbeeld eerst ontworpen door een vrouw die de stof en het model koos en hem zelf borduurde voordat ze hem aan een ambachtsman gaf die hem naaide en de passementen op de randen aanbracht. Hetzelfde gebeurde met leren muilen: de mannen sneden het leer op maat, stuurden de lappen naar de vrouwen, die borduurden ze, stuurden ze weer terug naar de mannen, en die zetten ze in elkaar.

17 De gedachte dat joden en moslims bij elkaar horen lijkt in onze tijd misschien vreemd, maar de gebeurtenissen in dit boek vonden plaats vóór de stichting van de staat Israël in mei 1948. In die tijd was de opvatting dat er een sterke culturele en historische band tussen joden en moslims bestond erg algemeen, vooral in Marokko, waar beide gemeenschappen zich de Spaanse Inquisitie, die in 1492 tot hun verdrijving uit Spanje had geleid, nog goed herinnerden. In zijn boek *The Jews of Islam* (New York: Princeton University Press 1984) legt Bernard Lewis uit dat veel Europeanen vóór 1948 dachten dat joden en moslims in de negentiende en het begin van de twintigste eeuw hadden samengespannen tegen de christelijke belangen. De radicale verandering van de visie op de verhouding tussen de drie religies rond de Middellandse Zee heeft in een ongelooflijk korte tijd plaatsgevonden. Nog aan het eind van de jaren veertig was de joodse gemeenschap in Marokko indrukwekkend groot en een van de pijlers van de traditie in Noord-Afrika, met diepe wortels die tot ver voor de plaatselijke pre-islamitische Berbercultuur teruggingen. Sindsdien hebben de meeste joden Marokko verlaten en zijn naar Israël en andere landen als Frankrijk en later Canada geëmigreerd. Tegenwoordig wonen er in de mellah van Fes uitsluitend moslims, en er zijn nog maar enkele honderden joden in het land over. Daarom proberen veel Marokkaanse joodse intellectuelen de culturele kenmerken van de joodse gemeenschap in Marokko, een van de oudste ter wereld en in minder dan tien jaar verdwenen, zo snel mogelijk vast te leggen.

18 De familie Barmaki was in die tijd erg machtig, en hoewel Jahja de vizier van Haroen was, was hij daarvóór zijn leraar en mentor geweest. Jahja stierf in het jaar 190 van de Hidjra (805 a.d.).

19 Terwijl vrouwen uit de hogere en middenklasse de sluier aflegden, droegen de boerenvrouwen die na de onafhankelijkheid naar Fes waren gekomen een sluier om te laten zien dat ze in de stad thuishoorden en niet meer op het land, waar vrouwen, in heel Noord-Afrika, nooit een sluier hadden gedragen. Zelfs vandaag nog is de uiterst politieke islamitische *hidjab*, een bepaalde hoofdtooi, in Marokko een verschijnsel van de stedelijke, ontwikkelde middenklasse. Boerenvrouwen en vrouwen uit de arbeidersklasse doen niet aan deze mode mee.

20 Vroege feministes zijn erg beroemd in de Arabische wereld, waar een sterke traditie bestaat van het beschrijven van de levens, de prestaties en de heldendaden van vrouwen in de vorm van 'Who is who'-bundels. De fascinatie van Arabische historici voor uitzonderlijke vrouwen heeft tot een uitgesproken literair genre geleid dat *nisâ'iyyât* genoemd wordt, van het woord *nisa*, vrouwen. Salah al-Din al-Moenadjdjid, een bewonderaar van bijzondere vrouwen, somt zo'n honderd verhandelingen over vrouwen op in zijn artikel 'Ma oellifa ani n-nisa' (Wat er over vrouwen geschreven is) in het blad *Madjallat madjma al-loegha l-Arabiyya* (1941, dl. 16, p. 216). Helaas zijn de Arabische feministes, sleutelfiguren in de moderne geschiedenis van de mensenrechten in de moslimwereld, in het Westen nauwelijks bekend. Een goede beschrijving van belangrijke moslimfeministes uit de negentiende en het begin van de twintigste eeuw, die in vertaling erg nuttig zou kunnen zijn voor westerse lezers, is het eerste deel van Emily Nasrallahs *Vrouwelijke pioniers*, dat momenteel alleen in het Arabisch bestaat (Beiroet: Mu'assasat Nawfal, 1986).

21 Zajnab Al-Fawwaz al-Amili, *Al-Doerr al-Manthoer fi tabaqat Rabbat al-Khodoer* (Boelaq, Egypte: Al-Matbaa al-Koebra,

1985). In haar inleiding stelt ze dat haar boek is 'opgedragen aan de zaak van mijn vrouwelijke soortgenoten' (djaaltoehoe chidmatan li-banati nawi).

22 Hoeda Al-Sjaraawi is in de Arabische wereld zeer bekend, en een kijkje in haar buitengewone leven geeft de door Margot Badran gemaakte selectie van haar memoires, *Haremjaren. De memoires van de Egyptische feministe Hoeda Sjaraawi* (Baarn: Anthos 1987). Zie voor een geïllustreerde beschrijving van haar feministische campagnes Sarah Graham Brown, *Image of Women: The Portrayal of Women in Photography of the Middle East,* 1860-1950 (New York: Columbia University Press 1988). Het laatste hoofdstuk, 'Campaigning Women' bevat foto's van de vrouwendemonstratie van 1919.

23 Hoewel de harems in de jaren vijftig verdwenen en de vrouwen uit de hogere en middenklasse onderwijs gingen volgen en betaalde banen kregen, bleef de wens van vrouwen, zeggenschap over de mode te houden, even sterk als altijd. De duizenden Marokkaanse vrouwen met een beroep in de jaren negentig (een derde van de artsen in Marokko is vrouw; een derde van de advocaten en universitaire docenten is vrouw) zijn doorgegaan met het ontwerpen van hun eigen kleren en sieraden, en hebben op die manier bijgedragen aan een heropleving van de traditionele ambachten. De traditionele djellaba's en kaftans worden ingekort en veranderd naar eigen smaak en fantasie, van allerlei stoffen en in allerlei kleuren. Het is niet ongewoon om in de donkere stegen van de medina vrouwelijke artsen, rechters en advocaten op werkkrukjes te zien praten over de kleur, het patroon en het borduurwerk van hun moderne kleren.

24 Citaten naar de Engelse vertaling van Duizend-en-één-nacht door Richard Burton: *The Book of the Thousand and One Nights,* particuliere uitgave, 1885.

25 Chli is een soort Marokkaanse bacon van rundvlees, dat in de zonnige maanden juli of augustus wordt gedroogd en dan ge-

bakken in olijfolie en vet, gekruid met gedroogde koriander en komijn. Net als olijven kan ook chli, mits goed bereid, een heel jaar mee.

26 Waarschijnlijk doelde Mina op de *Circulaire de l'Administration Française*, die verder ging dan het verbod op de openbare verkoop van slaven (dat gold in Marokka al tientallen jaren) en die de slachtoffers – de slaven zelf – de gelegenheid gaf zichzelf te bevrijden door hun ontvoerders en kopers voor het gerecht te dagen. Kort na het in werking treden van de Circulaire stierf de slavernij in Marokko uit. Deze prestatie staat in schril contrast met het feit dat Arabische ambtenaren het formele internationale verbod op de slavernij nog decennia lang hebben gesaboteerd. Pas als vrouwen de wet aan hun kant krijgen en hun agressors gemakkelijk kunnen aanklagen, verandert er iets.

Net zoals vrouwenrechten vandaag in moslimlanden worden veroordeeld als een vorm van westerse agressie tegen moslimwaarden, hebben Arabische heersers in de negentiende en het begin van de twintigste eeuw zich steeds weer verzet tegen het door de koloniale machten afgedwongen verbod op de slavernij en het afgekeurd als een schending van de islam. Veel moslimfunctionarissen en woordvoerders voor leden van de heersende klasse, die nog steeds slaven kochten of verkochten, zagen het verbod als het zoveelste voorbeeld van koloniale arrogantie.

Maar in feite was de vroege islam fel tegen de slavernij. De profeet Mohammed stimuleerde zijn volgelingen in het Medina van de zevende eeuw om hun slaven vrij te laten zoals hij zelf had gedaan, waarbij hij zijn beroemde slaaf Bilal en Bilals zoon Oesama hoge posities had gegeven. Maar deze historische erfenis had geen invloed op de houding van sommige conservatieve Arabische leiders, die het verbod op de slavernij tegenwerkten door het voor te stellen als een aanval op de oemma, de moslimgemeenschap, zoals ze dat momenteel precies zo doen met de rechten van vrouwen. Ze weten maar al te goed dat ze de democratie niet kunnen bevorderen zonder vrouwen te bevrijden. Hun verzet tegen de vrouwenrechten is in feite een verwerping van de democratische principes en de handhaving van mensenrechten.

27 Plaatselijke slavenhandelaars droegen hun slachtoffers over aan Arabische slavenhandelaars, die vervolgens langs de gebruikelijke handelsroutes naar Noord-Afrika doorreisden. Zie de kaarten in E.W. Bovill, *The Golden Trade of the Moors* (Oxford University Press 1970), met name hfdstk. 25, 'The Last Caravans', p. 236 en 239.

28 Een van de beroemdste is de ontvoering van prinses Noezhat al-Zaman in 'De geschiedenis van koning Omar ibn al-Noeman en zijn zonen', en die ontvoering lijkt erg op die van Mina.

29 Wat ik hier 'toverboek' noem is een onderdeel van een belangrijk Arabisch literair genre, dat zich bezighoudt met *sjifá*, genezing, en dat bloeide van de Middeleeuwen tot in de negentiende eeuw. Hierin werden in de marge van het Arabische medische denken wetenschappelijke medische hoofdstukken (vaak aan het begin van het boek) gecombineerd met uiterst vermakelijke magische recepten en formules, van schoonheidsmaskers en behandelingen voor sex-appeal tot methoden voor geboorteregeling, brouwsels die de geslachtsdrift prikkelden en middelen tegen impotentie. Deze boeken zijn nog steeds erg populair. Verkrijgbaar in de traditionele stalletjes van de straatventers in de stad, zijn ze enorm fascinerend voor een kind vanwege de afbeeldingen van talismans die erin staan en de prachtige kalligrafie van de toverformules. Zie voor meer informatie noot 31.

30 Turkije had een grote politieke en culturele omwenteling meegemaakt toen in 1923 de Republiek van Turkije werd gesticht door haar eerste president, de nationalistische held Kemal Atatürk. Zijn regering schafte talloze traditionele instellingen

af zoals harems en polygamie, het dragen van de fez door mannen en, in mindere mate, het dragen van de sluier door vrouwen (waar verzet tegen kwam). Agressieve economische en sociale hervormingen volgden; vrouwen kregen in 1934 stemrecht. Kemal Atatürk stierf in het ambt in 1938.

31 Het is ondenkbaar dat Imam al-Ghazali, een van de grootste islamitische geleerden in de Middeleeuwen, een dergelijk boek, een verzameling nogal komische doe-het-zelfrecepten vol primitieve magie en simplistische astrologie (zie hoofdstuk 18), heeft geschreven. Op kinderen van acht en tieners kon het wel indruk maken, maar een geleerde kon het niet misleiden. Het is echter een merkwaardige maar heel algemene praktijk in de Arabische literatuur geweest om wetenschappelijk dubieuze verhandelingen toe te schrijven aan onze briljantste filosofen, wiskundigen, rechters en imams. Abdelfetah Kilito geef in zijn verhelderende boek *L'auteur et ses doubles: Essai sur la culture arabe classique* (Parijs: Editions du Seuil 1985) twee redenen voor deze eigenaardige praktijk: de werkelijke auteurs wilden er negatieve kritiek, censuur en de woede van de kaliefen mee ontlopen, én ze konden er de verkoop van hun boeken mee bevorderen, want die zijn eeuwenlang grif van de hand gegaan op de drempel van de buurtmoskeeën.

32 Masoedi, *Moeroedj al-Dhahab* (Beiroet: Dar al-Marifa 1982), deel 2, p. 212; of p. 505 in deel 2 van de Franse vertaling door Barbier de Meynard en Pavet de Courtelle, *Les prairies d'or* (Parijs: Editions CNRS 1965).

33 Idem.

34 Uit *Kitab al-awfaq*, toegeschreven aan Imam al-Ghazali (Beiroet: Al-Maktaba al-Sjabija p. 18).

35 Een *fquih* is een gezaghebbende religieuze geleerde in de islam, een deskundige op het gebied van de *fiqh*, het recht en de theologie. Zijn kennis verleent hem gezag en hij functioneert vaak als raadsman voor ministers en staatshoofden. Maar bij uit-

breiding heeft het woord fquih ook de betekenis van leraar in het algemeen gekregen, los van wat hij onderwijst en in welk soort onderwijsinstelling.